М. Филиппсон

РЕЛИГИОЗНАЯ КОНТРРЕВОЛЮЦИЯ В XVI ВЕКЕ

Общество иезуитов

Перевод с французского

Издание второе

URSS

МОСКВА

ББК 63.3 66 86.23

Филиппсон Мартин

Религиозная контрреволюция в XVI веке: Общество иезуитов.
Пер. с фр. Изд. 2-е. — М.: Книжный дом «ЛИБРОКОМ», 2011. — 208 с.
(Академия фундаментальных исследований: история.)

Вниманию читателей предлагается обширный труд немецкого историка и общественного деятеля Мартина Филиппсона (1846–1916), посвященный исследованию сопротивления католицизма религиозной реформе XVI века. В книге представлена цельная картина великого католического движения — религиозной контрреволюции, которая послужила основой для зарождения современного католицизма.

В настоящем издании, представляющем собой первую часть книги, рассматриваются вопросы происхождения католической контрреволюции в XVI веке и основания новых религиозных орденов, в том числе специального ордена, или общества, иезуитов. Излагается история развития иезуитского ордена; описывается жизнь и религиозно-политическая деятельность Игнатия Лойолы — основателя ордена иезуитов, а также его сподвижников; приводятся основные правила общества иезуитов. Вторая и третья части книги, посвященные соответственно реорганизации римской инквизиции и истории Триентского собора, выходят одновременно с первой в нашем издательстве.

Книга будет полезна не только специалистам — историкам, религиоведам, политологам, философам, но и всем, кто интересуется историей католицизма.

Издательство «Книжный дом "ЛИБРОКОМ"».
117335, Москва, Нахимовский пр-т, 56.
Формат 60×90/16. Печ. л. 13. Зак. № 4487.

Отпечатано в ООО «ЛЕНАНД».
117312, Москва, пр-т Шестидесятилетия Октября, 11А, стр. 11.

ISBN 978–5–397–01937–8

НАУЧНАЯ И УЧЕБНАЯ ЛИТЕРАТУРА
E-mail: URSS@URSS.ru
Каталог изданий в Интернете:
http://URSS.ru
Тел./факс (многоканальный):
+ 7 (499) 724–25–45
URSS

10115 ID 122485

Предисловіе.

Религіозная реформа XVI в. постоянно привлекала вниманіе историковъ. Ничто, казалось, не заслуживало столько ихъ труда, какъ эта революція, которая, разрушивъ исключительное господство римской церкви, должна была породить драгоцѣннѣйшее завоеваніе новыхъ временъ—свободу совѣсти. Но это великое событіе слишкомъ часто заставляло пренебрегать другой стороной вопроса: я разумѣю исторію сопротивленія католицизма, сопротивленія упорнаго и систематическаго, организованнаго церковью и прежде всего папствомъ и выдержавшаго становившійся все болѣе и болѣе страшнымъ напоръ реформаторскихъ идей.

Въ особенности мало занимались этимъ вопросомъ во Франціи. А между тѣмъ было бы чрезвычайно интересно прослѣ-

дить какимъ образомъ удалось Риму про-
тивопоставить всепоглощающимъ вол-
намъ протестантизма могучую преграду,
обратить ихъ даже во многихъ случа-
яхъ вспять и снова отвоевать значи-
тельную часть утраченныхъ владѣній.
Онъ достигъ этого, реорганизовавъ церковъ
на новыхъ основаніяхъ, сообщивъ ей и бо-
лѣе исключительные догматы, и болѣе
наступательную политику. Современный
католицизмъ зародился во второй поло-
винѣ XVI вѣка.

Я попытался описать происхожденіе
этой контръ-революціи, имѣвшей столь
важное значенія и сыгравшей столь зна-
чительную роль для половины европей-
скихъ народовъ. Причины этого факта
заключаютъ въ себѣ событія трехъ ка-
тегорій: основаніе новыхъ религіозныхъ
орденовъ и спеціально ордена іезуитовъ,
возстановленіе римской инквизиціи и, на-
конецъ, три фазиса Тріентскаго собора.

Въ самое послѣднее время было издано
значительное количество документовъ по
каждому изъ этихъ вопросовъ, а главнымъ
образомъ по второму и третьему. Изъ

.многихъ авторовъ я назову здѣсь только имена Тейнера, Делингера, Зикеля, фонъ-Дрюффеля и Бенрата. Но до сихъ поръ никто не написалъ такой книги, которая воспользовалась бы этими драгоцѣнными документами и создала бы цѣльную картину, въ которой передъ глазами читателя развертывалась бы исторія этого великаго католическаго движенія. Мнѣ захотѣлось пополнить этотъ пробѣлъ. Къ тому же брюссельскіе архивы доставили мнѣ нѣсколько неизданныхъ и довольно интересныхъ данныхъ относительно Тріентскаго собора. Я старался, насколько это мнѣ было возможно, воздерживаться отъ всякихъ богословскихъ соображеній. Я настаивалъ главнымъ образомъ на политической стофонѣ событій. Конечно, было довольно трудно сохранить полное безпристрастіе среди тѣхъ крупнѣйшимъ конфликтовъ и той страстности, которые и до сихъ поръ еще отзываются въ нашей современной борьбѣ. Я силился по крайней-мѣрѣ сохранить ту честность, которая необходима всякому историку, есл только онъ хочетъ сохранить за своей наукой ея истинный характеръ и не унизить ее до того, чтобы поставить ее въ служебное положеніе политическимъ, соціальнымъ и религіознымъ тенденціямъ нашего времени.

М. Филиппсонъ.

ГЛАВА ПЕРВАЯ.

Происхожденіе католической контръ-революціи въ XVI вѣкѣ.

Причины, вызвавшія Реформацію XVI вѣка; испорченность католическаго духовенства въ XIV и XV вв.—Бѣлое и черное духовенство.—Оппозиція мірянъ духовенству. — Безплодныя усилія реформы католицизма: соборы XV в.—Мистицизмъ.—Возрожденіе овладѣваетъ св. престоломъ.—Папы-политики.—Быстрые успѣхи лютеранства.—Необходимость внутренней реформы для католицизма.—Непониманіе этого папами.—За реформу берутся новые религіозные ордена.—Камальдулы.—Капуцины.—Братья милосердія.—Каэтанъ Тіенскій и Караффа: Театинцы.—Барнабиты.—Сомаски.—Тринитаріи.—Іезуиты.

Всѣ великія и крупныя событія, отмѣчающія новую эпоху въ исторіи человѣчества, могутъ быть сравниваемы съ могучими деревьями, корни которыхъ глубоко ушли въ землю, на которой они растутъ и которая ихъ питаетъ. Только тѣ стремленія, которыя медленно созрѣвали, только тѣ потребности, которыя долго вырабатывались и создавались, могутъ увлечь за собою къ еще не ясной цѣли многочисленныя націи, цѣлые общественные классы. Мы жестоко ошиблись-бы, еслибы стали искать въ отдѣльныхъ фактахъ, какъ-

Уважаемые читатели! По техническим причинам в настоящем издании нумерация книги приводится со страницы 3.

бы важны они ни были, или въ преходящихъ яв-
леніяхъ, причины умственныхъ, соціальныхъ и по-
литическихъ революцій, которыя потрясали міръ.
Напротивъ, всѣ эти причины, по происхожденію
своему всегда очень сложныя и разнообразныя,
развивались въ теченіи многихъ столѣтій. Въ исто-
ріи человѣчества жатва заставляетъ себя долго
ждать. Проходятъ вѣка прежде чѣмъ взойдетъ
и распустится то, что было посѣяно въ большин-
ствѣ случаевъ безъ опредѣленнаго намѣренія и
даже безсознательно. Но мало по малу новый
духъ проникаетъ и наполняетъ собою старыя фор-
мы для того, чтобы въ концѣ концовъ разбитъ
или уничтожить ихъ.

Такимъ образомъ великая религіозная рефор-
ма XVI вѣка явилась равнодѣйствующей мно-
гихъ силъ, которыя, будучи не всегда видимы,
тѣмъ не менѣе давно уже подтачивали средне-
вѣковую Европу. Отъ этого ихъ окончательный
результатъ, ихъ взрывъ, долженъ былъ стать
только еще сильнѣе и внезапнѣе.

Главнѣйшей изъ причинъ этой религіозной
революціи было неудовольствіе, становившееся
съ каждымъ днемъ все сильнѣе и сильнѣе и вызы-
вавшееся упадкомъ оффиціальной церкви. Испор-
ченность духовенства особенно возросла со вре-
мени авиньонскихъ папъ, подававшихъ своимъ
подчиненнымъ отвратительнѣйшіе примѣры, видѣв-
шихъ въ своемъ могуществѣ только неизсякаемый
источникъ для того, чтобы добывать богатства,
пользоваться удовольствіями и проявлять тира-

нію. Въ былыя времена, напримѣръ въ IX в., Григорій VII возсталъ противъ свѣтской власти во имя достоинства духовенства, позоримаго симоніей, постыдной продажей духовныхъ должностей и бенефицій. Теперь же симоніей занимался самъ святой отецъ и, конечно, исходя изъ такой высоты, она заражала всю церковь. Посредствомъ резервацій и предварительныхъ назначеній папы все больше и больше присвоивали себѣ право опредѣлять на епископскія и монастырскія должности, окончательно разрушая такимъ образомъ свободу выборовъ соборныхъ и монастырскихъ капитуловъ. Сами-же папы пользовались этой огромной властью только для обогащенія себя и своихъ фаворитовъ, и продавали должности тѣмъ, кто больше за нихъ заплатитъ. Епископы подражали этому грустному примѣру: они щедро покрывали свои траты, никогда не отдавая приходы иначе какъ за наличныя деньги и никогда не дешевле какъ за четыреста или пятьсотъ флориновъ. Они предоставляли ихъ наиболѣе щедрымъ, хотя и наименѣе способнымъ и наименѣе достойнымъ кандидатамъ. Также легкомысленно относились они и къ посвященію въ духовный санъ, нисколько не требуя отъ кандидатовъ ни нравственныхъ, ни умственныхъ качествъ, необходимыхъ для священнослужителя. Многіе становились клириками только для того, чтобы пользоваться многочисленными церковными привилегіями и чтобы занимать духовныя бенефиціи. На эти бенефиціи, сверху до низу, смо-

трѣли только какъ на болѣе или менѣе доход-
ныя мѣста. Ничуть не удивительно, поэтому, что
при такихъ условіяхъ ряды духовенства напол-
нялись недостойными, грубыми, развратными, не-
вѣрующими людьми, ничуть не заботящимися объ
исполненіи своихъ обязанностей. Нерѣдко слу-
чалось, что одно и то-же лицо, вопреки закону,
запрещавшему скопленіе въ однихъ и тѣхъ-же
рукахъ нѣсколькихъ церковныхъ должностей,
обладало, тѣмъ не менѣе, весьма многими изъ
нихъ. Для этого стоило только купить нѣсколь-
ко папскихъ разрѣшеній. Въ Англіи были такіе
священники, которые управляли сразу болѣе чѣмъ
двадцатью приходами, т. е., въ сущности полу-
чали съ нихъ только доходы. Громадное боль-
шинство клириковъ совершенно пренебрегало
своей обязанностью имѣть постоянное мѣстожи-
тельство при своихъ церквахъ. Были такіе при-
ходы и епископства, которые никогда не виды-
вали своихъ духовныхъ пастырей. Но даже и тѣ
рѣдкіе священники, которые жили при своихъ
церквахъ, принимали всевозможныя мѣры для
того, чтобы не исполнять своихъ каноническихъ
обязанностей.

Приходскій священникъ почти никогда не
провѣдывалъ, а епископъ еще того рѣже. Всѣ
другія церковныя службы совершались только
за соотвѣтственную плату; за то пышность
культа, церемоніи и церковныя празднества все
увеличивались. Со всѣми тѣми, кто престу-
палъ такъ или иначе букву закона и цер-

ковныхъ установленій, поступали со всевоз-
можной строгостью. Но религіозное настрое-
ніе и восторгъ, энтузіазмъ вѣры, уже исчезли
почти на всѣхъ ступеняхъ обширной іерархичес-
кой организаціи. Религія обратилась въ какой-
то огромный систематическій фетишизмъ, должен-
ствовавшій обогащать касту священнослужите-
лей и ни сколько не заботившійся о томъ, что-
бы утѣшать несчастныхъ, обуздывать злыхъ и
обращаться къ сердцу людей.

Всѣ монашескіе ордена, какъ мужскіе такъ и
женскіе, опустились не меньше, чѣмъ бѣлое ду-
ховенство. Въ монастыряхъ свободно развивались
честолюбіе, зависть и развратъ. Образованіе, ко-
торое въ былые времена такъ старательно въ нихъ
поддерживалось, теперь совершенно исчезло. Сло-
вомъ, духовенство всѣхъ ранговъ и всѣхъ наз-
наченій было преисполнено свѣтскими стремле-
ніями, жаждой наслажденій и роскоши; духов-
ные же источники энтузіазма, благочестія и са-
моотреченія мало по малу совсѣмъ изсякли. Епис-
копы, аббаты и аббатиссы предавались охотѣ, тан-
цамъ и оргіямъ; прелаты появлялись и на войнѣ
и на турнирахъ. Распутство было общимъ, слиш-
комъ обычнымъ, порокомъ среди священниковъ
и монаховъ: объ этомъ громко свидѣтельствуютъ
жалобы и запрещенія всѣхъ провинціальныхъ и
національныхъ соборовъ.

Уже въ XIV вѣкѣ одинъ изъ друзей папы
Іоанна XXII, ревностный защитникъ ортодоксіи
и всемогущества папъ, испанецъ Альваръ, съ си-

лою возсталъ противъ всѣхъ этихъ злоупотреб-
леній въ своей книгѣ *De planctu Ecclesiae*. Сто
лѣтъ спустя кардиналъ-легатъ Юлій Цезарини
писалъ папѣ Евгенію IV: «Несомнѣнно, что рас-
пущенность клира достигла такихъ размѣровъ,
что почти оправдываетъ ту ненависть, которую
несутъ къ духовенству и міряне и гусситы». Про-
шелъ еще вѣкъ и одинъ изъ папъ, Адріанъ IV
въ оффиціальной инструкціи, данной имъ въ
1522 г. легату Франциску Кіерегате, говоритъ:
«Намъ не безъизвѣстно, что даже вокругъ са-
маго св. престола уже давно совершаются боль-
шія мерзости: церковныя злоупотребленія и из-
бытокъ власти—все было направлено ко вреду. И
порча распространилась отъ головы къ членамъ,
отъ папы къ прелатамъ. Мы всѣ грѣшили и меж-
ду нами не найдется ни единаго, который-бы по-
ступалъ хорошо [1]». Тотъ-же самый папа просилъ
великаго Эразма придти на помощь церкви, ко-
торой грозила погибель «отъ великихъ грѣховъ
людей, а въ особенности духовныхъ лицъ [2]».
Одинъ изъ самыхъ пылкихъ защитниковъ орто-
доксальнаго католицизма, кардиналъ Джованни-
Пьетро Караффа, жаловался въ 1532 г. папѣ Кли-
менту VII «на невыносимую, достигшую высшей
степени неспособность, недостатки, невѣжество и
косность священнослужителей». Онъ утверж-
далъ, что «не найдется ни одного разбойника,

---

[1] R a y n a l d i, *Annales ecclesiastici* ad an. 1522.
[2] Propter gravissima hominum scelera, maxime ecclesia-
sticorum; *Epist.* 639.

ни одного ландскнехта, который былъ-бы болѣе безчестенъ, болѣе безстыденъ и болѣе пороченъ, чѣмъ духовныя лица». Не менѣе сурово относился онъ и къ монахамъ и къ монахинямъ [1]. Нѣсколько лѣтъ спустя, въ 1538 г., конгрегація, состоящая изъ четырехъ кардиналовъ и пяти прелатовъ, назначенная папой Павломъ III для того, чтобы выработать планъ общей реформы, восклицаетъ: «Что за ужасное зрѣлище представляется христіанину, изучающему католическій міръ: всѣ пастыри покинули свои паствы или поручили ихъ наемникамъ! Религіозные ордена до такой степени испортились, что становятся позоромъ для мірянъ и сильно вредятъ своимъ примѣромъ; въ большинствѣ женскихъ монастырей совершаются къ великому негодованію гражданъ публичныя святотатства». Въ 1541 г. іезуитъ Лефевръ писалъ Лойолѣ [2]: «Далъ-бы Богъ, чтобы здѣсь, въ Вормсѣ, нашлось-бы только два или три священника, которые не были бы конкубинарами и не были бы запятнаны еще другими преступленіями и которые хоть сколько нибудь заботились бы о спасеніи своей души»! Епископъ Кіэти, Караффа, о которомъ мы vже упоминали и который позднѣе сталъ папой Павломъ IV и однимъ изъ самыхъ страстныхъ противниковъ ереси, говорилъ

---

[1] J a n s s e n, *Jnformazione di G. P. Caraffa a papa Clemente VII,* 1532 (Rivista cristiana VI, 1878, стр. 286 и слѣд.).

[2] Cretineau-Jolly, *Histoire de la Compagnie de Jesus,* t. I (Paris, 1844), стр. 166.

съ сокрушеніемъ: «Плохія свойства бѣлаго духовенства и даже монашества внушили народу отвращеніе къ мессамъ, къ богослуженіямъ, къ авторитету и могуществу церкви [1]».

Стоитъ-ли и умножать цитаты подобнаго рода? Достаточно перелистать рѣчи епископовъ всѣхъ странъ, произнесенныя на Тріентскомъ соборѣ, чтобы убѣдиться въ безчисленности жалобъ по этому поводу. По свидѣтельству самихъ католическихъ прелатовъ, быстрое распространеніе ереси, легкость, съ которой цѣлыя націи принимали ее, объясняются именно недостатками и пороками самого духовенства. Изъ нихъ архіепископъ Антоній Пражскій, въ 1565 году, говорилъ своему провинціальному синоду: «Совершенно правы тѣ, кто приписываетъ происхожденіе столькихъ церковныхъ бѣдствій и столькихъ сектъ распущенности безпорядочнаго духовенства», а кардиналъ Маркъ д'Альтемпъ, племянникъ папы Пія IV, восклицалъ въ синодѣ, собравшемся въ епископскомъ городѣ Констанцѣ: «Отвратительное и достойное проклятія поведеніе духовенства въ большинствѣ случаевъ породило всѣ наши несчастія. По мнѣнію всѣхъ мудрыхъ людей, причина неустройствъ нашего

---

[1] Bromato, *Storia di Paolo IV* (Равенна, 1748), I 101.—Кардиналъ Контарини писалъ 13 мая 1541 г. кардиналу Фарнезе: „Злоупотребленія римской куріи такъ велики, что нужно молить Бога, чтобы онъ не допустилъ лукъ натянутся до того, чтобы онъ сломался. Pastor, Correspondenz des Cardinal Contarini, въ *Historische Jahrbuch*, т. I (1880), стр. 387.

времени кроется въ преступленіяхъ, лѣни и чрезвычайной небрежности клириковъ [1]». Можно
ли рѣшиться оспаривать такіе авторитетные голоса?

Однако, было-бы несправедливо возлагать
всю отвѣтственность за это печальное положеніе
вещей исключительно на римскую курію и на
клиръ. Причины испорченности были и глубже
и универсальнѣе. Торговыя сношенія съ Востокомъ, развивавшіяся все сильнѣе со времени
крестовыхъ походовъ, и крупная промышленность, сдѣлавшая поразительные успѣхи, чрезвычайно увеличили общественныя и частныя богатства. Вслѣдствіе этого съ XIII вѣка роскошь,
какъ въ одеждѣ такъ и въ образѣ жизни, разрослась до чрезвычайности. Въ то-же время скептицизмъ, родившійся отъ соприкосновенія Запада
съ высокой культурой мусульманства, на столько
же усиленный Возрожденіемъ, на сколько и возбуждаемый узурпаціями папства, привелъ ученые и правящіе классы къ утратѣ древней слѣпой вѣры и непоколебимой преданности церкви.
Къ несчастью тогда еще не нашли ни новаго
идеала, ни возвышенной и увлекательной цѣли,
которые могли-бы замѣнить прежнюю религіозную наивность, и потому люди стали пытаться какъ нибудь скрыть отъ себя и чѣмъ нибудь заполнить образовавшуюся внутреннюю
пустоту и предались чувственнымъ удовольствіямъ

---

[1] Brauburger. *De formula reformationis ecclesiae*;
(Майнцъ, 1782), стр. 332—335.

и всякаго рода излишествамъ. Естественно, что и духовенство, владѣвшее большими богатствами и ставшее, благодаря философіи и гуманизму, столь-же чуждымъ, какъ и міряне, всякимъ религіоз-нымъ убѣжденіямъ, не меньше другихъ увлека-лось стремленіями своей эпохи.

Но такое увлеченіе было гораздо болѣе серь-сзно для священниковъ, чѣмъ для остальныхъ классовъ общества, и какъ ни былъ испорченъ гражданскій міръ, все-же онъ глубоко возму-щался при видѣ того безстыдства, съ которымъ духовенство нарушало самую сущность своего существованія и дѣйствовало такъ открыто и прямо противъ своей высокой миссіи. И даже больше того: въ силу ошибки, легко впрочемъ объяснимой, невѣріе и нравственная распущен-ность эпохи приписывались обыкновенно испор-ченности церкви, вслѣдствіе смѣшенія причины со слѣдствіями. Потому то и надѣялись, что осно-вательная реформа ея іерархіи, внутренняго управ-ленія и вліянія на народъ произведетъ значитель-ное улучшеніе въ нравахъ.

Попытка такой реформы прежде всего была сдѣлана въ предѣлахъ самой церкви, на почвѣ самого катилицизма, посредствомъ вселенскихъ соборовъ. Трое изъ этихъ всемірныхъ собраній особенно прославились своими попытками осу-ществить всеобщую реформу *in capite et membris*; всѣ эти соборы относятся къ первой половинѣ XV вѣка и состоялись въ Пизѣ, Констанцѣ и Базелѣ. Къ несчастью, борясь съ злоупотребленіями, они въ то же время боролись и съ главою самой церкви, съ папой, извлекавшимъ изъ сложившихся дурныхъ обычаевъ свои главные доходы. Понятно поэтому постоянное сопротивленіе папства соборамъ и роформѣ, а также и то, что жестокая борьба, которая вспыхнула между двумя партіями церкви, окончилась общимъ и полнѣйшимъ пораженіемъ фракціи, стремившейся къ реформамъ и сочувствовавшей соборамъ.

Для папства это было настоящей побѣдой Пирра. Неудачный исходъ попытокъ исправить церковь черезъ посредство соборовъ доказалъ невозможность умѣренной реформы въ церкви и посредствомъ церкви. Тогда, всѣ тѣ, которые хотѣли измѣнить дѣйствительно становившееся невозможнымъ положеніе моральныхъ и религіозныхъ дѣлъ, отчаявшись въ этомъ, стали склоняться къ догматической революціи и къ мысли о необходимости радикальныхъ и полныхъ нововведеній. Въ то же время для римской церкви было очень невыгодно то, что она должна была формальнымъ трактатомъ признать торжество ереси гусситовъ въ Моравіи и Богеміи. Ученія послѣднихъ, получившія всеобщую извѣстность вслѣдствіе своего успѣха, быстро распространились тогда по всей Германіи, не смотря на преслѣдованія, которымъ они постоянно подвергались въ этой странѣ. Въ Богеміи Моравскіе Братья пошли еще дальше, чѣмъ гусситы, въ томъ смыслѣ, что они отвергли всѣ виды священства.

Съ другой стороны съ оффиціальной церковью сражался мистицизмъ съ его болѣе или менѣе ясно выраженной склонностью къ пантеизму, нападая на благочестіе, выродившееся въ пустой формализмъ, на ея внѣшнюю торжественность, безъ души и убѣжденія, на ея исключительное упованіе на дѣла, а не на вѣру. Ученія мистиковъ были гораздо трогательнѣе и глубже. Основнымъ принципомъ мистицизма XIV и XV вѣковъ было ученіе о единеніи съ Богомъ посредствомъ любви къ Богу, всецѣло наполняющей насъ божественной сущностью и разрушающей нашу индивидуальность, растворяя ее въ Богѣ. Во всей Германіи «друзья Бога», послѣдователи Николая Базельскаго и Іоанна Рюисбрека, проповѣдывали эти ученія. Въ Нидерландахъ Гергардъ Гроотъ основалъ «Конгрегацію братьевъ общей жизни», которая быстро распространилась по всѣмъ нидерландскимъ провинціямъ, почва въ которыхъ была подготовлена для нихъ бегардами.

Можетъ быть церковь могла бы еще не уступить всѣмъ этимъ противникамъ, если-бы сама она не переживала именно въ это время кризисъ внутренняго разложенія подъ вліяніемъ Возрожденія и Гуманизма. При папахъ Евгеніѣ IV, Николаѣ V, Піѣ II, Возрожденіе овладѣло св. престоломъ апостола Петра. Первый изъ этихъ первосвященниковъ призывалъ эрудитовъ въ Римъ для того, чтобы они составляли для него памфлеты и буллы, направленныя противъ Базельскаго собора; въ награду за это онъ раздавалъ имъ церковныя бенефиціи и даже епископства. Его преемникъ, Николай V, самъ, въ тѣ дни, когда онъ носилъ еще имя Ѳомы Сарцанскаго, былъ однимъ изъ наиболѣе ученыхъ и ревностныхъ гуманистовъ своего времени. Сдѣлавшись папой, онъ сталъ употреблять тѣ колоссальныя сокровища, которыя курія вымогала у христіанскаго міра, на постройку роскошныхъ дворцовъ въ классическомъ стилѣ, на поддержаніе ученыхъ и даже тѣхъ изъ нихъ, которые выступали въ качествѣ противниковъ церкви, какъ напримѣръ, Лаврентія Валла, или же такихъ скептиковъ и насмѣшниковъ, какъ Филельфо; либо на основаніе знаменитой папской *ватиканской* библіотеки и на организацію настоящей мануфактуры переводовъ съ древнихъ авторовъ. Заботясь очень мало о церковныхъ интересахъ, этотъ папа окружалъ себя не епископами и монахами, а блестящими эрудитами. Это подчиненіе высшаго церковнаго сана тенденціямъ Возрожденія тѣмъ болѣе замѣчательно, что само населеніе Рима, какъ простонародье такъ и дворянство, не выказывало никакого искренняго интереса къ Гуманизму, не имѣвшему въ Римѣ той естественной почвы, какая существовала во Флоренціи и въ Феррарѣ; его пересадилъ въ Римъ исключительно одинъ только папа. Величайшимъ наслажденіемъ для папы Николая V было вести бесѣды съ учеными, прогуливаться среди пяти тысячъ томовъ своей новой библіотеки, приводить ее въ порядокъ и производить въ ней изысканія. Гуманисты, которыхъ этотъ добрый папа содержалъ на средства церкви, направляли противъ нее, противъ ея ученія и противъ нравовъ христіанъ самыя ядовитыя діатрибы, и папа съ улыбкой разрѣшалъ имъ дѣлать это, не понимая какую опасность создавалъ онъ для церкви.

Второй преемникъ Николая V, Пій II, тоже вышелъ изъ гуманистовъ. Онъ принялъ духовное званіе очень поздно, проведя довольно бурную жизнь и будучи отцомъ нѣскольскихъ незаконнорожденныхъ дѣтей. Сдѣлавшись папой, онъ составилъ комментаріи на свое собственное правленіе, а въ своихъ бреве подражалъ цицероновскому стилю. Болѣе ста гуманистовъ занимались при его дворѣ въ качествѣ протонотаріевъ и аббревіаторовъ. Въ самомъ сердцѣ римской куріи они образовали совершенно языческую по своему характеру платоновскую академію, предсѣдатель которой, Помпоніо Лето, именовался pontifex maximus, какъ-бы бросая этимъ вызовъ христіанскому первосвященннику, своему покровителю. Изъ всѣхъ слѣдующихъ послѣ Пія II папъ, упомянемъ только о Львѣ X Медичи, въ присутствіи котораго открыто смѣялись надъ христіанской церковью и считалось высшимъ тономъ объявляться противникомъ католической ортодоксіи. Этотъ Левъ X, не имѣя ничего, свойственнаго духовному лицу, приказывалъ играть при себѣ неприличныя комеди Плавта и предпочиталъ римскаго или греческаго классическаго писателя

Библіи, а свѣтскую музыку — обѣднѣ. Духовенство Рима подражало въ этомъ куріи. Всѣ священники хоромъ доказывали, что между душой человѣка и животныхъ нѣтъ никакой разницы; совершая обѣдню, они примѣшивали къ ней богохульства. Такой благочестивый человѣкъ, какъ Лютеръ, и скептикъ, какъ Эразмъ, оба были одинаково скандализованы невѣріемъ тѣхъ, которые должны были бы быть самыми ревностными защитниками вѣры [1].

Очевидно, что въ концѣ концовъ долженъ былъ наступить такой моментъ, когда народы вынуждены были задать себѣ вопросъ: подъ какимъ-же предлогомъ ихъ заставляли повиноваться такой церкви, надъ которой издѣвались сами представители ея и которую они эксплуатировали съ явнымъ пренебреженіемъ къ ней самой, исключительно въ видахъ своихъ личныхъ выгодъ, не имѣющихъ ничего общаго съ ея прямымъ назначеніемъ?

А рядомъ съ этими гуманистами, болѣе чѣмъ на половину язычниками, тронъ св. Петра занимали политики и такіе солдаты, какъ Сикстъ IV, Иннокентій VIII и Юлій II, которые воевали, подготовляли возмущенія и даже смертоубійства въ сосѣднихъ странахъ, и совершали всякія насилія и преступленія лишь-бы основать свѣтскія государства для своихъ «племянниковъ», которые зачастую были ихъ родными сыновьями. Достаточно назвать имя Александра VI, этого

----

[1] Ranke. *Werke,* т. XXXVII, стр. 48 и слѣд.

ужаснаго Борджіа, чтобы опредѣлить въ какую бездну порока и мерзости было ввержено папство этой эпохи. Вся Европа знала объ этихъ скандалахъ и была ими возмущена. Въ особенности германскіе народы, вообще болѣе склонные къ внутренней духовной жизни, къ серьезному и убѣжденному благочестію, все больше и больше удалялись отъ этого испорченнаго и развратнаго папства, отъ этой церкви, уже не вѣрующей больше въ себя самое.

Таковы были въ главнѣйшихъ своихъ чертахъ тѣ обстоятельства, которыя въ началѣ XVI вѣка благопріятствовали перевороту, совершенному въ Германіи Лютеромъ, а въ Швейцаріи Цвингли, и доставили ему то быстрое и широко распространившееся торжество, на которое не разсчитывали ни творцы его, ни его противники. Религіозный міръ, заключенный въ Нюренбергѣ въ 1532 г., предоставилъ нѣмецкимъ протестантамъ полную свободу для распространенія ихъ ученій, и такова была ненависть къ духовенству, а главнымъ образомъ къ папству, таково было равнодушіе къ догматамъ и къ католической вѣрѣ, что въ очень скоромъ времени девять десятыхъ всѣхъ нѣмцевъ примкнули къ лютеровской реформаціи. Пораженіе и смерть Цвингли въ битвѣ при Каппеллѣ въ 1531 г. положили предѣлъ мѣстному распространенію новаторскаго движенія, но оно уже одержало побѣду въ большихъ городскихъ и промышленныхъ кантонахъ и одни только маленькіе кантоны, населенные крестья-

нами, пастухами и охотниками, остались по преж-
нему вѣрны своей традицiонной религiи. Въ
Данiи и въ Норвегiи самъ государь принудилъ
упорствующее населенiе къ принятiю реформа-
цiи и заставилъ подчиниться ей. Въ 1530 г.,
лютеранство восторжествовало въ Данiи; въ
1537 г. оно перешла въ Норвегiю и даже въ дале-
кую Исландiю, которая около половины XVI
столѣтiя должна была признать его. Молодой
шведскiй король, Густавъ Ваза, который только-
что освободилъ страну отъ датской тиранiи и
основалъ новую династiю, покровительствовалъ
реформацiи изъ-за политическихъ и финансовыхъ
соображенiй. Въ 1527 г. сеймъ въ Вестеразѣ от-
мѣнилъ католицизмъ въ предѣлахъ всего коро-
левства. Наконецъ послѣднее изъ крупныхъ го-
сударствъ германской расы, Англiя, хотя и не
послѣдовала немедленно примѣру, поданному
всѣми остальными странами, все-же рѣшительно
и совершенно отдѣлилась и отъ Рима, и отъ пап-
ства. Даже латинскiя нацiи успѣли до нѣкоторой
степени заразиться ересью: во Францiи, въ Ита-
лiи, даже въ Испанiи, образовывались сообще-
ства сторонниковъ Лютера и встрѣчались мо-
нахи, епископы и кардиналы, видимо склоняв-
шiеся къ его ученiю.

Правда, свѣтскiй мечъ пришелъ на помощь
колеблющейся церкви. Полной побѣдѣ реформа-
цiи въ нѣкоторыхъ частяхъ Европы мѣшали еще
грубая сила, оружiе солдата, веревка палача,
костеръ инквизицiи. Но сила ничего не могла

сдѣлать противъ того медленнаго разложенія, которое совершалось въ нѣдрахъ самой церкви. Никто—будь то король или императоръ—не могъ бы спасти церковь помимо ея самой. Католицизмъ долженъ былъ бы погибнуть, если бы онъ не нашелъ въ себѣ самомъ силы и людей, нужныхъ для своей внутренней реформы, которая одна могла ему возвратить то, что имъ было утрачено въ теченіи нѣсколькихъ вѣковъ: вѣру, убѣжденіе, энтузіазмъ; — словомъ все то, что дѣлаетъ силу духовныхъ вождей и увлекаетъ за ними массы вѣрующихъ. Отъ этого зависѣла вся будущность католицизма.

А между тѣмъ папы этой эпохи не сознавали тѣхъ трудныхъ обязанностей, которыя возлагались на нихъ критическимъ положеніемъ церкви. Климентъ VII (1523—1534) ни сколько не интересовался борьбой противъ успѣховъ лютеранства. Онъ смотрѣлъ на себя, какъ на одного изъ свѣтскихъ правителей Италіи, и если у него было хоть какое-нибудь чувство болѣе возвышенное, чѣмъ личное честолюбіе, такъ это было чувство итальянскаго патріотизма. Ему хотѣлось-бы освободить прекрасный полуостровъ отъ ига «варваровъ». Во имя этого онъ такъ упорно боролся противъ Карла, который въ дѣйствительности былъ самой крѣпкой опорой католической религіи въ Германіи, и своей враждебностью вынудилъ послѣдняго предоставить еретикамъ полную свободу дѣйствій. Но Климентъ и его союзники французы были разбиты и это пораженіе со-

вершенно подчинило папу волѣ императора. Въ
угоду ему, онъ не далъ разрѣшенія на разводъ
англійскаго короля Генриха VIII, женатаго на
Екатеринѣ Аррагонской, теткѣ Карла V, и этотъ
отказъ вызвалъ отпаденіе Англіи. Такимъ обра-
зомъ политика Климента VII только служила
на пользу противниковъ церкви.

Позднѣе, потерявъ Англію своимъ союзомъ
съ императоромъ, папа опять обратился противъ
него и при посредствѣ Франциска I, короля
французскаго, сталъ даже искать союза съ нѣ-
мецкими протестантами противъ Карла V. По-
слѣдній, опасаясь папы, долженъ былъ въ свою
очередь, добиваться симпатій лютеранцевъ. Та-
ковы событія, объясняющія Нюренбергскій міръ
и то быстрое распространеніе реформаціи, кото-
рое она затѣмъ получила во всей имперіи. Тѣ
мірскія наклонности, которыя сохранило папство
при Климентѣ VII, не смотря на все случившее-
ся, сдѣлали еще болѣе грозной возможность пол-
наго распаденія церкви.

Его преемникъ, Павелъ III, тоже воспитался
подъ исключительнымъ вліяніемъ Возрожденія.
Его рѣчь была чрезвычайно, даже изысканно
элегантна и при томъ не только когда онъ объ-
яснялся на своемъ родномъ языкѣ, но даже и
тогда, когда онъ говорилъ по латыни или даже
по гречески. Онъ окружалъ себя учеными, лю-
билъ помпу, великолѣпные дворцы, статуи и кар-
тины. Въ то-же время онъ предавался всевоз-
можнымъ суевѣріямъ, совершенно противнымъ

всякой религіи, ставилъ важнѣйшія свои рѣшенія въ зависимость отъ наблюденій надъ звѣздами и твердо вѣрилъ въ счастливые и несчастные дни. Впрочемъ Павелъ III, какъ человѣкъ очень умный, отлично понималъ необходимость коренныхъ реформъ въ нѣдрахъ католической церкви, но все же его искреннія заботы клонились только къ личнымъ и чисто мірскимъ цѣлямъ. У него былъ одинъ незаконный сынъ, котораго онъ усыновилъ, и внуки, и вотъ для этой-то семьи, для Фарнезовъ, онъ во что-бы то ни стало хотѣлъ добиться наслѣдственныхъ владѣній и устроить имъ княжество, и эта забота занимала его гораздо больше, чѣмъ всѣ церковныя нужды.

И такъ папство ничего не сдѣлало для того, чтобы спасти католичество, которому грозила окончательная погибель. Спасеніе явилось къ нему совсѣмъ съ другой стороны, изъ нижнихъ слоевъ іерархіи, лежащихъ внѣ оффиціальныхъ круговъ римской куріи.

Движеніе въ смыслѣ внутренней реформы, въ которой такъ сильно нуждалось католичество для того, чтобы выдержать борьбу съ новой религіей, проявилось прежде всего среди монашескихъ орденовъ. Незначительное само по себѣ въ началѣ, это движеніе вскорѣ стало важно по своимъ послѣдствіямъ, благодаря тому лихорадочному самоотверженію, строгости и возрожденію религіознаго духа, которое оно вызвало вскорѣ во всѣхъ классахъ католическаго міра. Сигналъ былъ поданъ орденомъ второстепенной важности,—Камальдулами.

Этотъ орденъ былъ основанъ въ 1012 г. святымъ Ромуальдомъ въ Камальдоли, близь Ареццо, въ Тосканѣ, какъ особенно строгая вѣтвь бенедиктинцевъ. Камальдулы должны были жить отшельниками въ отдѣльныхъ одна отъ другой келіяхъ и могли встрѣчаться не иначе, какъ въ общихъ молельняхъ и только въ часы богослуженій. Они подвергались суровымъ постамъ и многодневному молчанію. Употребленіе мяса было имъ совсѣмъ запрещено, но съ теченіемъ времени и не замѣтно, соблюденіе этихъ правилъ значительно ослабѣло: они пріобрѣли значительныя имѣнія, почти всѣ отступили отъ первоначальныхъ требованій своего основателя и стали жить въ общихъ монастыряхъ [1]. Въ это время одинъ благородный венеціанецъ, Павелъ Джустиніани, ученый теологъ, поступивъ въ орденъ уже въ зрѣломъ возрастѣ (34 лѣтъ), задался цѣлью возстановить уставы св. Ромуальда. Нѣкоторое время онъ прожилъ вмѣстѣ со своими учениками въ пещерахъ Мазаччіо, въ Церковной области, уступленныхъ ему камальдулами. Вскорѣ по его примѣру основались и другія пустынножительства. Богатые люди, вступая въ конгрегацію, отдавали въ ея пользу всѣ свои имущества. Въ 1523 г. Адріанъ VI даровалъ ей привелегіи по особой просьбѣ кіетскаго епископа Караффы,—

---

[1] Helyot, *Histoire des ordres monastiques,* т. V (Paris 1718 г.), стр. 236 и слѣд., 263 и слѣд.

привилегіи, о которыхъ мы будемъ говорить ниже. Особенно поддерживалъ эту общину папа Климентъ VII, предоставившій ей церковь близъ Мазаччіо. По смерти Джустиніани, въ 1528 г., центръ новой конгрегаціи былъ перенесенъ изъ Мазаччіо въ пустынножительство Монте-Корона. Уставъ этого общества проникнутъ величайшей строгостью. Въ тѣ часы, когда монахи собираются вмѣстѣ, они должны сохранять строжайшее молчаніе, за исключеніемъ двухъ дней зимой и трехъ дней лѣтомъ, когда имъ позволяется бесѣдовать между собою; они должны служить заутреню въ полночь, употреблять самую простую пищу. Во всемъ остальномъ Джустиніани остался вѣренъ первоначальному уставу св. Бенедикта въ томъ отношеніи, что и его ученики были обязаны ежедневно въ теченіи одного часа заниматься какою-нибудь физическою работою. Эта суровая община быстро распространилась по Италіи, Германіи и Польшѣ.

Однако вліяніе ея на мірянъ, въ силу самаго ея устройства, оставалось ничтожнымъ. Укрѣпить пошатнувшійся католицизмъ, которому грозило совершенное разрушеніе, конечно нельзя было абсолютнымъ затворничествомъ нѣсколькихъ отдѣльныхъ лицъ, охваченныхъ меланхоліей и мистицизмомъ.

Гораздо серьезнѣе была реформа ордена францисканцевъ, совершенная въ 1525 г. Матвѣемъ де-Басси [1], который ввелъ для своихъ послѣдователей, какъ внѣшній знакъ обращенія къ

---

[1] Helyot, т. VII, стр. 164 и слѣд.

уставу основателя св. Франциска Ассизскаго, длинный и остроконечный капюшонъ, такой, въ какомъ обыкновенно изображается св. Францискъ на всѣхъ рисункахъ. По этому самому капюшону ихъ стали называть капуцинами. Добившись разрѣшенія отъ папы Климента VII, Матвѣй отправился проповѣдывать въ Анконскую марку, гдѣ вскорѣ къ нему присоединились еще три товарища. Въ 1528 г. тотъ-же папа разрѣшилъ имъ основать отдѣльную конгрегацію, члены которой носили капюшонъ, длинную бороду и ходили постоянно съ голыми ногами. Они устроились вблизи Камерино. Ихъ рвеніе, поразительныя обращенія къ вѣрѣ посредствомъ проповѣдей и услуги, оказанныя ими народу во время одной эпидеміи, доставили имъ всеобщее уваженіе. Вскорѣ имъ потребовалось основать новые монастыри для того, чтобы помѣстить въ нихъ цѣлыя толпы послушниковъ, стекавшихся къ нимъ со всѣхъ сторонъ. Первымъ главнымъ викаріемъ ихъ былъ самъ Матвѣй де-Басси; онъ же далъ имъ уставы, обязывавшіе ихъ къ самой строгой бѣдности, какъ внутри ихъ жилищъ и церквей, такъ и въ одеждѣ и пищѣ. Имъ запрещалось дѣлать какіе-бы то ни было запасы: каждый день они должны были обходить вѣрующихъ, собирая отъ нихъ необходимую для существованія милостыню. Имъ предписывались посты, молчаніе и умерщвленіе плоти, но главной цѣлью ихъ было не созерцаніе и не личныя религіозныя упражненія, а работа въ міру и для міра и главнымъ образомъ вліяніе на низшіе классы.

Орденъ капуциновъ, взятый въ его цѣломъ, имѣетъ что-то вульгарное, нерѣдко даже нѣчто смѣшное, по тому значенію, которое онъ придаетъ самымъ незначительнымъ мелочамъ и пустымъ формальностямъ и по тѣмъ средствамъ, къ которымъ онъ обыкновенно прибѣгаетъ для пріобрѣтенія вліянія на умы народныхъ массъ. Но было-бы несправедливо не признавать, что капуцины, въ особенности въ Италіи, дѣйствительно стали друзьями, утѣшителями и духовными руководителями народа, что они всегда приходили ему на помощь во всѣхъ его нуждахъ, во время голодовокъ, эпидемій и бѣдствій войны. Именно та грубоватая простота, которая свойственна этому ордену, приблизила его къ простому народу и сообщила ему большое вліяніе на простые, грубые умы, нечувствительные къ утонченностямъ болѣе возвышеннаго воспитанія и болѣе развитаго вкуса. Несомнѣнно, капуцины сдѣлали очень много для того, чтобы удержать простонародье Италіи въ преданности къ католической религіи и въ вѣрности къ римской іерархіи. На этихъ-то именно основаніяхъ мы и обязаны назвать ихъ въ числѣ тѣхъ факторовъ, которые наиболѣе способствовали реформѣ и возрожденію католицизма.

Въ то самое время, какъ капуцины заботились такимъ образомъ о *духовномъ* благѣ народа, другая религіозная община взяла на себя попеченіе о *матеріальномъ* благѣ несчастныхъ.

Португалецъ Іоаннъ Божій родился въ маленькомъ городкѣ Монте-майоръ-эль-Нуово въ 1495 г. и провелъ очень бурную молодость [1]. Покинувъ своихъ родителей въ девятилѣтнемъ возрастѣ, онъ перепробовалъ по очереди жизнь пастуха, солдата, лавочника и продавца образковъ. Въ концѣ концовъ нѣсколько случаевъ, ставившихъ жизнь его въ очевидную опасность, внушили ему раскаяніе, и свои внутреннія страданія онъ сталъ выражать такъ публично и притомъ въ такихъ преувеличенныхъ формахъ, что въ Гренадѣ его сочли за сумашедшаго и заперли въ домъ для умалишенныхъ, въ которомъ главное лѣченіе состояло въ сѣченіи несчастныхъ до крови. По выходѣ изъ этого незавиднаго пріюта, Іоаннъ твердо рѣшился посвятить себя исключительно на служеніе бѣднымъ. Онъ выказалъ на этомъ поприщѣ столько рвенія и самоотверженности, что въ 1540 г. ему доставали средства для того, чтобы устроить маленькій пріютъ, въ которомъ онъ могъ бы помѣстить убогихъ больныхъ и ухаживать за ними. Такъ какъ епископъ гренадскій очень интересовался имъ, то вскорѣ у него оказались нужныя средства для того, чтобы основать уже настоящую больницу, кото-

---

[1] Helyot, т. IX, стр. 131 и слѣд.—Біографія св. Іоанна Божія, сост. Саглиромъ (Saglier, Das Leben des h. Johann von Gott, Ратисбоннъ, 1881), написана безъ всякой критики и исключительно съ точки зрѣнія католической теологіи.

рою онъ управлялъ съ большой гуманностью, искусствомъ и практичностью. Но, содержа свою больницу въ полной чистотѣ и опрятности, самъ онъ ходилъ въ какихъ-то отвратительныхъ лохмотьяхъ. Епископъ де-Тюи далъ ему прозвище *Божій*, съ цѣлью отмѣтить этимъ его высокое благочестіе и неистощимую доброту, но вмѣстѣ съ тѣмъ предписалъ ему и его помощникамъ носить приличное и однообразное одѣяніе. Онъ умеръ въ 1550 г.[1], не успѣвъ окончательно устроить свою конгрегацію, но создавъ своей самоотверженной преданностью и разумной и энергичной дѣятельностью то замѣчательное учрежденіе *Братьевъ милосердія*, которое является однимъ изъ драгоцѣннѣйшихъ и лучшихъ украшеній католичества. Исключительно только блескомъ своихъ скромныхъ добродѣтелей, неутомимой помощью, оказываемой ими всѣмъ несчастнымъ и страдающимъ, эти братья милосердія, не ставя себѣ этого прямой цѣлью, больше укрѣпили католицизмъ, чѣмъ то могла-бы сдѣлать цѣлая сотня епископовъ и докторовъ богословія. Больные, которыхъ они спасли отъ смерти, родители и дѣти, видѣвшіе ихъ у постелей самыхъ дорогихъ для нихъ людей, невольно должны были переносить и на католицизмъ извѣстную долю той глубокой благодарности, которую въ широкой мѣрѣ заслуживали эти братья.

Но всѣ эти учрежденія не могутъ итти въ

---

[1] Іоаннъ. Божій канонизированъ 140 лѣтъ спустя послѣ его смерти

сравненіе, въ отношеніи содѣйствія немедленному возрожденію католицизма, съ основанными въ это-же время орденами монашествующихъ клириковъ. Первымъ изъ этихъ орденовъ совершенно новаго рода по времени и вторымъ по значенію,—былъ орденъ *Театинцевъ*.

Основатель его, Каэтанъ Тіенскій, родился около 1480 г. [1] въ Виченцѣ, въ семьѣ древняго дворянскаго рода. Много и трудолюбиво учась въ юности, онъ затѣмъ отправился въ Римъ, гдѣ немедленно былъ принятъ знаменитымъ папой Юліемъ II въ число протонотаріевъ апостолическаго престола. Но онъ не удовлетворился этой на половину свѣтской должностью и принялъ постриженіе въ 1516 г. Вскорѣ послѣ этого, въ 1519 г., онъ близко сошелся съ нѣкоторыми священниками и прелатами римской куріи, всего въ числѣ шестидесяти человѣкъ, которые, искренно огорчаясь неурядицами, царившими въ церкви, и возникновеніемъ лютеранской ереси, образовали маленькую общину для того, чтобы совмѣстно предаваться размышленіямъ и молитвамъ и такимъ образомъ приготовиться къ проповѣди и обращенію всѣхъ колеблющихся и невѣрующихъ [2]. Они собирались въ маленькой церкви св. Сильвестра и Доротеи, въ Трастевере. Это благочестивое собраніе, предназначавшееся для борьбы съ ересью мирнымъ оружіемъ,

---

[1] *Acta Sanctorum,* mens. Aug., т. II, стр. 240 и слѣд.
[2] Ant. Caraccioli. *Caietani Thienaei Vita* (Кёльнъ, 1612), гл. 9 и 10.

называлось *Ораторіей Божественной любви*. Слава его быстро разнеслась по всей Италіи и вызвала во многихъ городахъ подражаніе. Въ самой Виченцѣ, мѣстѣ родины Каэтана, находился монастырь Іеронимитовъ, который пожелалъ ввести у себя уставъ и порядки Ораторіи Божественной любви. Для этого они просили Каэтана Тіенскаго пріѣхать къ нимъ, и такъ какъ ему уже давно хотѣлось пожить созерцательной жизнью, то онъ съ радостью отказался отъ высокаго положенія, которое занималъ при римскомъ дворѣ, и перешелъ окончательно къ виченцскимъ іеронимитамъ (1519 г.). Тамъ онъ основалъ госпиталь. Позднѣе онъ переселился въ Венецію, гдѣ реформировалъ новый госпиталь и удивлялъ весь городъ своимъ благочестивымъ рвеніемъ и краснорѣчивыми проповѣдями, которыми онъ многихъ укрѣпилъ въ вѣрности къ католической церкви. Такимъ же образомъ онъ основалъ пріютъ и въ Веронѣ. «Я до тѣхъ поръ не перестану раздавать бѣднымъ все, что у меня есть, говорилъ онъ, пока самъ не стану на служеніи Христу такимъ бѣднякомъ, которому уже нечѣмъ будетъ заплатить даже за свое погребеніе». Но вскорѣ—и это важнѣе всего—мистическое благочестіе его, исключительно направленное на улучшеніе частной жизни, уступило мѣсто болѣе практичнымъ и дѣйствительнымъ мыслямъ. Быстрые успѣхи ереси заставили Каэтана призадуматься о причинахъ видимаго упадка церкви. Какъ и многіе другіе, онъ усмотрѣлъ ее въ испорченности бѣлаго духовенства, т. е. того, которое по преимуществу должно было заботиться о спасеніи душъ своей паствы и о направленіи и утѣшеніи совѣсти. Онъ рѣшился исправить это зло посредствомъ основанія такого учрежденія, которое-бы реформировало жизнь, нравы и просвѣщеніе приходскаго духовенства, и возвратило-бы ему апостольскія добродѣтели древней церкви. Воодушевленный этой великой идеей, онъ вернулся въ Римъ для того, чтобы осуществить ее въ самой столицѣ католичества. Вскорѣ онъ отыскалъ себѣ тамъ перваго помощника въ лицѣ своего друга Бонифація да-Колле, юрисконсульта въ ломбардской Александріи, который, живя при папскомъ дворѣ, участвовалъ нѣкогда вмѣстѣ съ Каэтаномъ въ учрежденіи Ораторіи Божественной любви.

Однако позволительно усумниться въ томъ, что Каэтанъ обладалъ энергіей, умственными способностями и наконецъ достаточнымъ личнымъ вліяніемъ для того, чтобы довести начатое дѣло до конца. Онъ былъ созданъ для того, чтобы осушать слезы, ухаживать за больными, возвращать къ католической вѣрѣ нѣкоторыя заблудшія души, но не для того, чтобы основать имѣющій серьезное значеніе монашескій орденъ.

Къ счастью для его идеи, онъ встрѣтился съ однимъ прелатомъ, который былъ способенъ осуществить ее въ совершенствѣ и при томъ въ широкимъ размѣрахъ. Это былъ епископъ Караффа [1].

---

[1] B r o m a ṭ o. Storia di Paolo IV, т. I.

Джовани-Пьетро Караффа родился въ 1476 г. въ одной изъ самыхъ извѣстныхъ фамилiй неаполитанскаго королевства, владѣвшей многочисленными удѣлами: герцогствами, княжествами, маркизатами, графствами, баронiями. Будучи очень одареннымъ ребенкомъ, онъ уже съ дѣтства обнаруживалъ пылкость и страстность во всемъ, за что брался, и оказывалъ очень большiе успѣхи въ свѣтскихъ наукахъ, но, достигнувъ четырнадцатилѣтняго возраста, принялъ рѣшенiе удалиться въ одинъ изъ доминиканскихъ монастырей. Честолюбивый отецъ предназначалъ его на высшiя свѣтскiя должности или по крайней мѣрѣ на занятiе важнаго духовнаго поста, а потому насильно взялъ его изъ его убѣжища. Молодой человѣкъ долженъ былъ подчиниться. Усовершенствовавшись въ изученiи греческаго и даже еврейскаго языковъ и получивъ нѣсколько богатыхъ духовныхъ бенефицiй, принадлежавшихъ его благородной и могущественной фамилiи, онъ отправился въ Римъ, гдѣ и сдѣлался въ 1503 г. апостолическимъ протонотарiемъ. Въ слѣдующемъ году одинъ его родственникъ предоставилъ ему одно изъ тѣхъ епископствъ, которые, находясь во владѣнiяхъ рода Караффовъ, всегда занимались какимъ-нибудь членомъ этого семейства, а именно епископство Кiети, древнее названiе котораго было Теано. Дядя Джовани-Пьетро былъ кардиналомъ въ Римѣ и потому весьма естественно, что молодой епископъ прiобрѣлъ большое влiянiе въ вѣчномъ городѣ, вступилъ въ самыя важныя при-

ходскія конгрегаціи и былъ посланъ въ качествѣ
апостолическаго нунція въ Испанію и Англію.
За оказанныя услуги онъ былъ вознагражденъ
назначеніемъ архіепископомъ въ Бриндизи; од-
нако его всегда продолжали называть еписко-
помъ Театинскимъ и подъ этимъ именемъ онъ
пользовался общею извѣстностью.

После возмущенія Лютера Караффа сдѣлался
однимъ изъ самыхъ горячихъ защитниковъ като-
лической вѣры. Онъ не ограничился тѣмъ, что
вступилъ съ Каетаномъ Тіенскимъ, да Колле, Са-
долетомъ и многими другими въ Ораторію бо-
жественной любви, но издалъ противъ Лютера
нѣсколько богословскихъ сочиненій. Ревность,
обнаруженная имъ въ отношеніи ортодоксальной
реформы, долженствовавшей успѣшно бороться
съ революціонной реформой виттенбергскаго мо-
наха, очень подняла его значеніе въ глазахъ папы
Адріана. VI, раздѣлявшаго одинаковыя съ нимъ
чувства. Послѣдній приблизилъ его къ себѣ и
при такихъ обстоятельствахъ Караффа могъ ока-
зать помощь Павлу Джустиніани, основателю
монтекоронскихъ камальдулей. Но Адріанъ VI
вскорѣ умеръ, а его преемникъ, Климентъ VII,
гораздо больше занимался политическими дѣлами,
чѣмъ реформою церкви. Караффа потерялъ на-
дежду на возможность достигнуть серьезныхъ
результатовъ при такомъ папѣ, а потому рѣ-
шился снова удалиться въ монастырь, чтобъ по-
крайней мѣрѣ спасти свою собственную душу.
Но онъ обладалъ слишкомъ большою энергіею,

сильною потребностью дѣятельной и вліятельной жизни, чтобы не привѣтствовать съ радостью мысль своего друга Каэтана Тіенскаго, указывавшаго ему на возможность соединить его удаленіе отъ дѣлъ съ непрестаннымъ и независимымъ трудомъ на пользу церковной реформы. Онъ обратился къ Каэтану и получилъ отъ него позволеніе присоединиться къ нему.

Папа, уважавшій въ Караффѣ тѣ качества, которыхъ не доставало ему самому, попытался удержать его при папскомъ дворѣ. Грамотою отъ 12 мая 1524 г. онъ предоставилъ Караффѣ неограниченную дисциплинарную власть надъ всѣми священниками, пребывающими въ Римѣ. Но, потому-ли, что Караффа считалъ, что его монастырская дѣятельность принесетъ больше пользы для общей и устойчивой реформы монашествующаго духовенства, или потому, что полагалъ, что при такомъ слабомъ папѣ, какъ Климентъ VII, онъ не будетъ въ состояніи дѣйствовать съ достаточною строгостью на томъ посту, который ему былъ предоставленъ,—Караффа остался твердъ въ своемъ рѣшеніи. Тщетно папа напоминалъ ему объ обязанности каждаго епископа оставаться вѣрнымъ своей епархіи, съ которою, предполагается, онъ заключилъ мистическій союзъ, обыкновенно сравниваемый съ супружествомъ. Джовани Пьетро такъ надоѣлъ своими просьбами Клименту VII, что наконецъ получилъ отъ него разрѣшеніе, котораго онъ такъ долго добивался. Тогда, къ великому удивленію римлянъ, не привыкшихъ къ такого рода зрѣлищамъ, онъ отказался отъ своихъ двухъ епископствъ, чтобы работать въ добровольной бѣдности для преобразованія священниковъ изъ бѣлаго духовенства; но папа все таки оставилъ за нимъ достоинство и титулъ епископа Театинскаго.

Какой странный контрастъ между собою представляли эти два человѣка, соединившіеся для общаго дѣла—Джовани-Пьетро Караффа и Каэтанъ Тіенскій! Одинъ—энергичный, твердый, жестокій, дѣятельный, очень опытный въ дѣлахъ, одинаково готовый и разрушать и создавать; другой—«казавшійся людямъ ангеломъ, а себѣ самому земляным червемъ [1]», скромный, мягкій, благочестивый, мало говорящій и проводящій свое время въ молитвахъ, слезахъ и въ дѣлахъ благотворительности и самопожертвованія. Очевидно, что въ этомъ союзѣ Караффа, уже бывшій старшимъ въ качествѣ епископа, долженъ былъ сдѣлаться также старшимъ и въ смыслѣ значенія и вліянія на организацію и направленіе дѣятельности новаго учрежденія.

Оригинальность идеи, несомнѣнно принадлежавшей святому Каэтану, состояла въ томъ, чтобы образовать религіозное сообщество, но не монаховъ, а священниковъ, которые, принявъ три монашескихъ обѣта—бѣдность, цѣломудріе и послушаніе,—совершали бы богослуженіе для об-

---

[1] B r o m a t o, т. I, стр. 106 и слѣд.

щества и совершали таинства, какъ обыкновен-
ные священники. Поэтому самому учрежденію
было дано названіе Конгрегаціи Клириковъ; ихъ
не называли братьями, но священниками; старшій
изъ нихъ имѣлъ титулъ *превота* (старѣйшины),
а не *пріора* или *настоятеля* [1]. Они носили
черную мантію, а вмѣсто монашескаго капюшона—
беретъ; они были освобождены отъ всѣхъ обя-
занностей относительно формы, церемоній и ре-
лигіозныхъ обрядовъ, занимающихъ у монаховъ
почти все ихъ время. Живя въ сообществѣ въ
частныхъ домахъ, они желали совмѣстно работать
на пользу моральнаго и религіознаго совершен-
ствованія людей. Это было новою мыслью, ко-
торая должна была придать большую силу этой
конгрегаціи и въ особенности ея подражате-
лямъ—іезуитамъ. Однако, истинною цѣлью кон-
грегаціи была не столько забота о благочестіи
мірянъ, сколько указаніе самимъ священникамъ
пути для преобразованія церкви не наставленіями,
которыя никогда не соблюдались, не наказаніями,
которыя скоро забывались, но самимъ обаяніемъ
совершенствованія, которое даетъ непреодолимую
силу хорошему примѣру. Кромѣ того Караффа,
въ глубинѣ души человѣкъ очень честолюбивый,
желалъ сдѣлать изъ своей конгрегаціи разса-
дникъ епископовъ и высшихъ сановниковъ цер-
кви. И дѣйствительно, развѣ воспитавшіеся въ
этой строгой и спасительной школѣ священники

---

[1] B r o m a t o, т. I, стр. 106 и слѣд.

не были людьми наиболѣе способными для управленія епархіями, гдѣ они могли заставить подчиненное имъ духовенство слѣдовать ихъ собственному примѣру и примѣру всей конгрегаціи?—Одно правило ея, имѣвшее по внѣшности видъ чрезвычайнаго смиренія и полнаго пренебреженія къ благамъ міра, придало этому учрежденію съ самого начала аристократическій характеръ. Театинцамъ запрещалась не только какая бы то ни было личная или коллективная собственность, но и прошеніе милостыни, поступленія которой, напротивъ, слѣдовало ждать исключительно отъ добровольной благосклонности вѣрныхъ. Очевидно, что при такомъ условіи все учрежденіе должно было бы находиться въ постоянной опасности гибели всѣхъ членовъ его отъ голода, если бы сами они не принадлежали къ богатымъ семьямъ, которыя могли и хотѣли доставлять имъ все необходимое для ихъ существованія. Во всѣхъ отношеніяхъ демократическій орденъ капуциновъ долженъ былъ дѣйствовать совершенно иначе: одинаково отрекаясь отъ всякой собственности, онъ считалъ безусловно неизбѣжнымъ замѣнить ее правильнымъ и систематическимъ сборомъ приношеній.—Помимо этого Караффа, происходившій изъ одной изъ самыхъ блестящихъ фамилій Италіи, противился усиленію численнаго состава своего ордена и желалъ установленія строгаго выбора для пріема въ него [1]. Онъ достигъ своей

---

[1] Письмо Караффы къ Сильваджо, 1550 г., приводимое Бромато на стр. 115, т. I, его сочиненія.

цѣли и его конгрегація состояла почти исклю-
чительно изъ сыновей благородныхъ семействъ,
которые въ своемъ двойномъ положеніи,—дво-
рянъ и членовъ конгрегаціи, вскорѣ пріобрѣв-
шей большое значеніе,—гнушались брать приходы
и оставляли конгрегацію, только получая высокій
духовный санъ, такъ что самую конгрегацію стали
называть *семинаріею епископовъ*.

Товарищъ Каэтана Тіенскаго Бонифацій да-
Колле былъ, какъ и онъ самъ, также дворя-
нинъ; четвертый товарищъ, присоединившійся къ
нимъ, римлянинъ Павелъ Консильери, былъ тоже
дворянинъ. Эти четыре основателя ордена полу-
чили 24 іюня 1524 г. отъ Климента VII особую
папскую грамоту, утверждавшую ихъ институтъ,
предоставлявшую имъ привилегіи латранскихъ
монаховъ-канониковъ, ставившую ихъ непосред-
ственно подъ покровительство св. престола и да-
вавшую право избрать себѣ превота, срокъ пол-
номочій котораго устанавливался на три года.
Немедленно всѣ четыре основателя отказались отъ
всѣхъ своихъ имуществъ и доходовъ;—поступокъ
похвальный со стороны Караффы, владѣвшаго
кромѣ своего личнаго очень большаго состоянія
еще многими и богатыми церковными бенефи-
ціями. Онъ былъ настолько душою новой кон-
грегаціи, что по требованію самого Каэтана былъ
избранъ первымъ превотомъ ея, а такъ какъ онъ
носилъ титулъ епископа *Театинскаго*, то и все
общество было названо *Театинцами*. Оно
устроилось сначала въ небольшомъ домикѣ на

Марсовомъ полѣ, а потомъ на Монте Пинчіо, въ
Римѣ. Вскорѣ послѣ образованія его тридцать
членовъ Ораторіи Божественной любви пожелали
поступить въ нее, но въ этомъ имъ было въ
вѣжливой формѣ отказано. Дѣйствительно, теа-
тинцы съ самого начала чувствовали себя настолько
аристократами, что усвоили себѣ одежду, напоми-
навшую, хотя и въ самой скромной формѣ, епи-
скопское одѣяніе. Эта тѣсная связь крайней бѣд-
ности и дворянской гордости отличаетъ кон-
грегацію театинцевъ и такой характеръ былъ
приданъ ей не смиреннымъ и скромнымъ Каэта-
номъ Тіенскимъ, но Караффою.

Въ силу самого устройства учрежденій те-
атинцевъ ихъ вліяніе могло сказаться только
очень медленно и на относительно ограничен-
номъ пространствѣ одной только Италіи. Здѣсь
они боролись противъ ересей, здѣсь они создали
извѣстное число способныхъ и достойныхъ епи-
скоповъ, здѣсь-же они давали своимъ самоотвер-
женіемъ и религіознымъ усердіемъ спасительный
примѣръ, но все это имѣло лишь второстепен-
ную важность. Совершенно иное и гораздо бо-
лѣе значительное вліяніе получилъ другой орденъ,
который, позаимствовавъ отъ театинцевъ нѣко-
торые изъ наиболѣе характерныхъ ихъ свойствъ,
къ самого начала имѣлъ гораздо болѣе широкіе,
честолюбивые и практическіе виды, а именно
орденъ іезуитовъ.

Нужно отмѣтить, что конгрегація монаше-
скихъ канониковъ—театинцевъ вскорѣ нашла

себѣ подражаніе въ учрежденіи подобныхъ-же сообществъ. Наиболѣе извѣстное между ними было барнабиты или монашескіе каноники Св. Павла. Оно было основано около 1530 г. Антоніемъ Маріей Захаріемъ Кремонскимъ и двумя миланцами—Феррари и Мориджіа и утверждено Климентомъ VII въ 1533 г. Барнабиты, получившіе это названіе отъ принадлежавшей имъ въ Миланѣ церкви св. Варнавы, преслѣдовали тѣ же цѣли, что и театинцы, имѣя только болѣе демократическій характеръ. Они усвоили крайне смиренный внѣшній видъ и главнымъ образомъ стремились обращать колеблящихся и отпавшихъ. Распространившись потомъ по всей Италіи, Франціи и Богеміи, они посредствомъ своихъ коллежей сдѣлали очень много для возвращенія церкви тысячей еретиковъ.

Еще менѣе важны монашескіе клерки, называвшіеся Соммасками, общество которыхъ было основано около 1528 г. въ Соммаскѣ, деревнѣ, лежащей между Миланомъ и Бергамо. Задачею ихъ было воспитаніе сиротъ и вообще образованіе юношества; вліяніе ихъ было чисто мѣстное.

Нѣсколько лѣтъ позже, въ 1548 г., молодой флорентинскій дворянинъ Филиппъ де-Нери [1] учредилъ въ Римѣ Общество Св. Троицы, ко-

---

[2] Ant. Galloni. *Vita Sti Philippi Neri.* Hier. Barnabeo, *Vita sti Philippi Neri: Acta Sanct. Maii*, т. VI, стр. 463 и слѣд. и 524 и слѣд.—A. Capecelatro. *The Life of St Philipp Neri.* (Перев. Pope, 2 т., 1882, Лондонъ).

торое обыкновенно именовалось Троицею пили-
гримовъ. Этого Филиппа де-Нери не безъ осно-
ванія называютъ римскимъ апостоломъ; дѣйстви-
тельно, быть можетъ никто болѣе его не содѣй-
ствовалъ преобразованію римскаго духовенства
и улучшенію духовнаго состоянія всего населе-
нія вѣчнаго города. Память о немъ жива тамъ
до сихъ поръ. Конгрегація Троицы предназна-
чалась на то, чтобы призрѣвать и заботиться о
туземныхъ богомольцахъ, являвшихся въ Римъ,
проповѣдывать и совершать публичное богослу-
женіе, реформировать нравы, какъ своихъ сочле-
новъ, такъ и постороннихъ лицъ, и наконецъ,
чтобы обращать еретиковъ и невѣрующихъ. Они
соблюдали уставъ Св. Августина. Изъ этого об-
щества возникла въ 1575 г. конгрегація Орато-
ріи, прославившаяся столькими учеными и искус-
ными защитниками католицизма, и столькими до-
стойными профессорами и знаменитыми миссіо-
нерами.

Изъ сказаннаго видно, что народами латин-
ской расы овладѣла лихорадка образованія но-
выхъ орденовъ, а это указываетъ на пробужденіе
среди нихъ, особенно въ Италіи, религіознаго
чувства и духа католицизма; но ни одно изъ
этихъ учрежденій XVI вѣка не можетъ идти въ
сравненіе, по важности и неисчислимымъ резуль-
татамъ, съ едва ли не самымъ молодымъ изъ
нихъ — съ монашествующими клириками *Об-
щества іезуитовъ*.

ГЛАВА ВТОРАЯ.

Основаніе ордена Іезуитовъ.

Соединеніе въ Испаніи рыцарственности съ религіознымъ мистицизмомъ.—Оно объясняетъ жизнь Лойолы.—Юность Лойолы.—Его рана и обращеніе.—Ночное вооруженное бдѣніе въ Монсерратѣ.—Манрезскій отшельникъ.—Его путешествіе въ Іерусалимъ.—Лойола студентъ.—Лойола схваченъ инквизиціей.—Его занятія въ Парижѣ.—Его первые ученики.—Монмартрскіе обѣты.—Лойола въ Венеціи.—Его сношенія съ Караффой и Театинцами.—Первыя папскія милости по отношенію къ Лойолитамъ.—Общество Іисуса.—Обвиненія Лойолы въ Римѣ.—Обѣтъ послушанія.—Враги и друзья Лойолы.—Утвержденіе папою. ордена Іезуитовъ—Характеръ новаго общества.—Лойола, первый генералъ его.—Его взгляды и цѣли.—Основные принципы при вербовкѣ новыхъ членовъ общества.—Общее сужденіе о Лойолѣ.

Эпоха, въ которую свойственная среднимъ вѣкомъ цивилизація достигла самого блестящаго и богатаго развитія, характеризуется главнымъ образомъ тѣсною связью рыцарскаго духа съ религіознымъ мистицизмомъ,—связью, порожденною крестовыми походами, волновавшими и увлекавшими въ теченіе двухъ вѣковъ всю Европу. Такое необыкновенное сочетаніе, утративъ подъ вліяніемъ Возрожденія и общаго скептицизма къ

началу новаго времени свою силу въ остальной
Европѣ, сохранилось только въ одной странѣ За-
пада—въ Испаніи. Это совершенно исключитель-
ное явленіе находитъ себѣ достаточное объясне-
ніе въ самой исторіи испанцевъ. Ихъ нескончае-
мыя войны съ арабами и маврами сообщили
всѣмъ ихъ военнымъ предпріятіямъ религіозную
окраску, глубоко проникшую въ духъ націи. По
странному сцѣпленію обстоятельствъ окончательное
изгнаніе мусульманъ изъ полуострова и прекра-
щеніе въ силу этого арабскихъ войнъ, какъ разъ
совпало съ открытіемъ Америки и съ началомъ
цѣлаго ряда предпріятій, имѣвшихъ цѣлью обра-
щеніе въ христіанство дикарей Новаго Свѣта.
Такимъ образомъ распространеніе католичества
вторично оказалось связаннымъ тѣснѣйшимъ об-
разомъ съ величіемъ и славою испанскаго имени,
совершенно такъ же, какъ это было въ продол-
женіи восьми-вѣковой борьбы съ исламомъ. Дво-
рянинъ, солдатъ, кастильскій *конквистадоръ*, сра-
жаясь за собственную честь, за своего короля
и за родину, сражались въ то же время за
честь Христа и Пресвятой Дѣвы. Романъ «Ама-
дисъ», написанный какъ разъ въ это время,
между 1492 и 1508 годами, и всѣ его многочислен-
ныя продолженія и подражанія вѣрно отража-
ютъ эту католическую, мистическую черту ры-
царскаго духа испанцевъ. Нѣтъ ничего удиви-
тельнаго, что при этихъ условіяхъ одинъ изъ
офицеровъ Карла V сдѣлался основателемъ мо-
нашескаго ордена, въ которомъ соединился во-

енный и религіозный духъ и который долженствовалъ бороться съ врагами вѣры всѣми возможными средствами.

Донъ Иньиго (Игнатій) Лопецъ де Рекальде родился въ 1491 году, въ замкѣ Лойола, въ баскской провинціи Гвипускоа. Его семья считалась одной изъ самыхъ значительныхъ въ своемъ краю; при вступленіи на престолъ новаго короля, а также и при другихъ чрезвычайныхъ случаяхъ [1], она пользовалась привилегіей, принадлежавшей лишь самымъ знатнымъ фамиліямъ страны: номинально она приглашалась принимать участіе въ торжественной церемоніи выраженія феодальнаго почтенія. Игнатій, тринадцатый ребенокъ [2] своихъ родителей, воспитывался, чтобъ сдѣлаться воиномъ и царедворцомъ, а потому получилъ чрезвычайно скудное образованіе. Сперва онъ служилъ пажомъ у короля Фердинанда Католическаго, а позднѣе рыцаремъ у герцога де Нахара, предки котораго всегда были покровителями фамиліи Рекальде де Лойола. Романтическій умъ и юное сердце Игнатія были преисполнены рыцарскими заботами: онъ мечталъ о любовныхъ похожденіяхъ, о военнныхъ подвигахъ, о славѣ, о блескѣ и великолѣпіи своего оружія, своихъ лошадей и о собственной красотѣ. Онъ хотѣлъ быть первымъ во всемъ и блистать среди товарищей. Уже и тогда честолюбіе составляло

---

[1] *Acta Sanctorum m. Julii,* т. VII, стр. 422.
[2] Maffei, *Ignatii Vita,* lib. I, cap. I.

одну изъ господствующихъ чертъ его характера. Онъ выбралъ себѣ даму сердца изъ принцессъ королевскаго дома, потому что, по его собственному позднѣйшему признанію, она была знатнѣе всякой графини или герцогини [1]. Любимымъ его чтеніемъ былъ романъ «*Амадисъ Гальскій*», но въ то же время онъ былъ ревностнымъ католикомъ; онъ написалъ гимнъ въ честь Св. Петра, котораго онъ особенно почиталъ, какъ своего спеціальнаго покровителя и заступника, и старательно воздерживался отъ тѣхъ страшно грубыхъ клятвъ, которыя были столь обычны даже среди лучшаго общества того времени.

Когда въ 1521 году французы напали на Наварру, герцогъ Нахара, вице-король этой страны, назначенный Карломъ V, помѣстилъ въ Пампелунѣ, столицѣ Наварры, небольшой гарнизонъ. Лойола со своимъ отрядомъ находился тамъ же и отличился своей храбростью. Сначала онъ мужественно защищалъ самый городъ, а затѣмъ, послѣ взятія его, цитадель противъ удачныхъ приступовъ непріятеля, значительно превосходившаго испанцевъ своей численностью. Однако, 20 мая 1521 года, при защитѣ бреши въ крѣпостной стѣнѣ, французская пуля раздробила му правую ногу, а осколокъ камня, сорвавшагося со стѣны, повредилъ затѣмъ и лѣвую. Онъ потерялъ сознаніе, а гарнизонъ немедленно сдался врагамъ, которые отнеслись къ Лойолѣ съ

---

[1] L. Gonzalez, въ *Acta Sanct. Jul.* VII, 634.

большимъ вниманіемъ и позволили отправить ра-
ненаго въ родительскій замокъ, находившійся
довольно близко отъ Пампелуны. Хирургія тогда
вообще еще находилась въ младенческомъ со-
стояніи, а въ этомъ захолустьѣ страны басковъ
и совсѣмъ не было хорошихъ врачей. Игнатія
лѣчили очень неудачно; поломанныя кости были
срощены неправильно и ихъ пришлось снова
два раза переламывать! Такъ какъ вслѣдствіе по-
раненія одна нога стала короче другой, то ее
стали съ большою силою вытягивать съ помощью
желѣзной машины. Эта пытка не спасла бѣднаго
мученика отъ хромоты. Онъ испытывалъ самыя
ужасныя страданія, но переносилъ ихъ съ ге-
роическимъ стоицизмомъ.

Долгіе мѣсяцы свой болѣзни онъ пытался
скоротать чтеніемъ, ища въ немъ средства про-
тивъ скуки вынужденнаго бездѣлья и лѣкарства
отъ своихъ физическихъ страданій. По старой при-
вычкѣ онъ, конечно, потребовалъ прежде всего
рыцарскихъ романовъ. Таковыхъ въ замкѣ не
оказалось [1] и ему дали, для развлеченія, Житіе
Христа и *Цвѣты святыхъ*, написанные по ис-
пански. Вскорѣ это новое для него чтеніе стало
заинтересовывать его все болѣе и болѣе. Муче-
ничество и высокія дѣянія святыхъ, въ особен-
ности св. Доминика и св. Франциска Ассизскаго,
показались его душѣ, жаждавшей приключеній,
возбужденной лихорадкою и страданіями, ни-

---

[1] Ribadeneira, *Vita Ignatii; Act. ss. Jul.* VII. 670.

сколько не менѣе славными и не менѣе завид-
ными, чѣмъ подвиги героевъ и странствующихъ
рыцарей. Его всегда очень сильное честолюбіе
направилось теперь въ эту сторону. Сначала
старыя впечатлѣнія, рыцарство, любовь къ дамѣ
сердца, все это боролось еще съ его новыми
стремленіями; но постепенно послѣднія все болѣе
и болѣе овладѣвали имъ. Онъ вѣрилъ, что св.
Петръ, къ которому онъ, оставаясь вѣрнымъ своимъ
привычкамъ, обращался главнымъ образомъ со
своими молитвами, спасъ его непосредственнымъ
вмѣшательствомъ отъ смертельной болѣзни. Къ
тому же онъ ясно видѣлъ, что его плохо за-
жившая рана, дѣлая его хромымъ на всю жизнь,
навсегда закрывала передъ нимъ военную карьеру.
Тогда онъ рѣшился стать духовнымъ солдатомъ
Іисуса Христа, Пресвятой Дѣвы и св. Петра, но
не рядовымъ солдатомъ, а однимъ изъ воена-
чальниковъ христіанскаго воинства. Сражаясь
во имя Господне съ сатаною и съ адомъ по-
средствомъ постовъ, трудовъ и бдѣній, онъ на-
дѣялся найти на небѣ тѣ богатства и королев-
ства, которыя Амадисъ и ему подобные пріобрѣ-
тали на землѣ своими рыцарскими подвигами.

Такимъ образомъ рѣшенія Лойолы, такъ же
какъ и рѣшенія многихъ другихъ его соотечест-
венниковъ, опредѣлялись сліяніемъ рыцарскаго
духа съ мистицизмомъ, оплодотвореннымъ еще
самымъ пылкимъ честолюбіемъ. Не раскаяніе,
не потребность приблизиться къ Богу черезъ
принесеніе Ему въ жертву всего своего суще-

ствованія побуждали Лойолу къ отшельнической
жизни, а желаніе отличиться отъ всѣхъ прочихъ
людей поступками столь же великими, какъ дѣ-
янія тѣхъ святыхъ, съ біографіями которыхъ
онъ случайно ознакомился, и желаніе сравниться
съ ними въ славѣ и въ заслугахъ.

Онъ употребилъ время своего медленнаго
выздоровленія на переписку Житія святыхъ и на
иллюстрацію ихъ раскрашенными картинками; онъ
сталъ приспособлять къ своимъ новымъ взглядамъ
свой образъ жизни и свою рѣчь. Когда старшій
братъ его, какъ глава семьи, вздумалъ помѣшать
Лойолѣ привести въ исполненіе его планы, по-
слѣдній не задумался его обмануть и, выздо-
ровѣвъ въ мартѣ 1522 года, покинулъ свою
семью подъ какимъ то выдуманнымъ предлогомъ [1].

Прежде всего онъ сдѣлалъ свое рѣшеніе без-
поворотнымъ, принеся обѣтъ цѣломудрія и воздер-
жанія; затѣмъ, онъ предпринялъ свое первое
паломничество къ чудотворной иконѣ Божьей
Матери въ Монсерратскомъ монастырѣ, близь
Барцелоны. По дорогѣ каждый день онъ биче-
валъ самъ себя для того, чтобы освоиться съ
своимъ новымъ положеніемъ. Прійдя къ чудо-
творному изображенію, онъ повѣсилъ все свое
оружіе на близь стоящую колонну, и, какъ ору-
женосецъ, готовящійся получить посвященіе въ ры-
цари, простоялъ всю ночь на часахъ согласно ри-
туалу, вычитанному имъ въ «Амадисѣ». Изъ всего

---

[1] Maffei, I, 3.

этого ясно видно, насколько прочно укорени-
лись всѣ рыцарскія фантазіи въ его мозгу и какое
вліяніе онѣ еще оказывали на него. На слѣдую-
щій день онъ снялъ съ себя всѣ свои дорогія
одежды, подарилъ ихъ тутъ же какому то
бѣдняку и одѣлся нищимъ пилигримомъ. Общая
исповѣдь закончила эту церемонію вступленія на
новое служеніе.

По довольно странному совпаденію все это
происходило какъ разъ въ то время, когда Мар-
тинъ Лютеръ открыто порвалъ съ церковью и
придалъ своей реформѣ явно революціонный
характеръ.

Лойола намѣревался отправиться въ Іеруса-
лимъ, чтобы заняться тамъ обращеніемъ невѣр-
ныхъ, но чума помѣшала немедленному отъѣзду
его въ Палестину, въ ожиданіи котораго онъ
поселился въ Манресѣ, маленькомъ Каталон-
скомъ городкѣ, въ 50 километрахъ къ сѣверо-
западу отъ Барцелоны, и тамъ предался аскетизму
и духовнымъ упражненіямъ.

Въ Манресѣ онъ пережилъ духовный кри-
зисъ, весьма напоминающій то настроеніе, кото-
рое, двадцать лѣтъ тому назадъ, довело Лютера
почти до полнаго отчаянія. Въ одномъ домини-
канскомъ монастырѣ, а не въ пещерѣ, какъ гла-
сило позднѣйшее іезуитское преданіе, онъ еже-
дневно подвергалъ себя самымъ тяжелымъ ис-
пытаніямъ, по три раза на день совершалъ са-
мобичеваніе, молился на колѣнахъ въ теченіе
семи часовъ кряду, по ночамъ не позволялъ себѣ

спать и питался только хлѣбомъ и водою. Этимъ путемъ онъ надѣялся сравняться со святыми, въ числѣ которыхъ онъ желалъ быть рано или поздно. Но чѣмъ больше онъ умерщвлялъ свое тѣло, тѣмъ болѣзненнѣе становилось его воображеніе. Онъ не чувствовалъ ни удовлетворенія, ни утѣшенія; напротивъ, ему казалось, что грѣхи его такъ велики, что ему никогда не удастся заслужить благоволеніе Божіе и ту вѣчную славу, которую онъ такъ страстно искалъ. Рыдая денно и нощно, онъ однажды дошелъ до мысли выброситься изъ окна своей кельи, но страхъ совершить такимъ образомъ новое преступленіе, остановилъ его [1].

Любопытно прослѣдить различіе путей, которыми вышли изъ такого отчаяннаго положенія Мартинъ Лютеръ и Игнатій Лойола. Нѣмецъ, теологъ по профессіи, одаренный, въ сущности, весьма холоднымъ воображеніемъ, утѣшился на догматѣ о совершенномъ искупленіи человѣчества Іисусомъ Христомъ, на томъ догматѣ, который онъ считалъ почерпнутымъ изъ Евангелія, т. е. опирающимся на Библію. Фанатичному и честолюбивому испанцу, голова котораго была набита всевозможными чудесными рыцарскими разсказами и легендами, стали являться видѣнія: ему чудилось, что его мрачныя мысли внушались ему дьяволомъ и демонами, а спасительныя идеи — Богомъ и ангелами. Вторичная и очень тяжелая

---

[1] Ribadeneira, стр. 673 и слѣд.

болѣзнь, грозившая положить предѣлъ всѣмъ его широкимъ замысламъ, показалась ему новымъ указанiемъ на борьбу съ дьявольскими кознями и на необходимость разъ навсегда покончить со всей своей прежней жизнью и начать совсѣмъ новое существованiе, полное надежды на божественное милосердiе и довѣрiя къ своимъ собственнымъ намѣренiямъ. Онъ вѣрилъ, что Богъ направляетъ его, какъ воспитатель направляетъ своего ученика [1].

Мало по малу ему стало казаться, что аскетизмъ и добровольныя самоистязанiя грѣшны въ глазахъ Господа, сотворившаго не только душу, но и тѣло человѣка, и что они ослабляютъ духъ, убивая его матерiальнаго спутника,—тѣло. Лойла пересталъ даже сокращать часы своего сна для того, чтобы тѣмъ съ большой силой работать во славу и честь Бога [2]. Такой взглядъ на обязанности благочестиваго и преданнаго церкви христiанина, взглядъ совершенно противоположный его первоначальнымъ воззрѣнiямъ на свое новое положенiе, сдѣлался позднѣе характернымъ для всего ордена, который онъ основалъ.

Послѣ его примиренiя съ самимъ собою, ви

---

[1] L. Gonzalez, AA. ss. Jul. VII, 651.
[2] Genelli, *Das Leben des heil. Ignaz von Loyola.* (Innsbruck, 1848), стр. 382. Эта книга особенно интересна помѣщенными въ ней письмами св. Игнатiя, большая часть которыхъ появляется въ печати впервые. Эти письма рисуютъ Лойолу въ совсѣмъ новомъ свѣтѣ и очень часто находятся въ противорѣчiи съ iезуитской традицiей.

дѣнія, порождаемыя его чрезмѣрно возбужденнымъ, въ теченіи цѣлыхъ двухъ лѣтъ, воображеніемъ и его религіознымъ честолюбіемъ, стали принимать все болѣе и болѣе радужныя и экзальтированныя формы. Онъ вѣрилъ, что видѣлъ Іисуса Христа и пресвятую Дѣву; самыя темныя тайны вѣры сдѣлались для него на столько очевидными, что, казалось, онъ наблюдалъ ихъ своими тѣлесными очами. Онъ видалъ также и діавола въ видѣ блестящаго змія, который становился все блѣднѣе и безобразнѣе по мѣрѣ того, какъ Игнатій молился. Какая глубокая разница между геніемъ виттенбергскаго монаха и манрескаго отшельника! Лютеръ опирался на слово Божіе, открытое всему міру; Лойола основывался на своихъ мистическихъ видѣніяхъ, существовавшихъ только въ его воображеніи и дѣлавшихъ изъ него существо привилегированное, избранное изъ милліоновъ ему подобныхъ.

Послѣ десятимѣсячнаго пребыванія въ Манресѣ и послѣ множества паломничествъ, Лойола могъ, наконецъ, отправиться въ Италію, а оттуда, въ томъ же 1523 году, въ Палестину. По увѣренію іезуитскаго преданія, правда весьма сомнительной достовѣрности, какъ это мы увидимъ ниже, онъ совершилъ все это путешествіе, не имѣя ни гроша денег, добывая хлѣбъ именемъ Христовымъ и умоляя каждый разъ капитановъ кораблей взять его съ собою изъ милости и ради Господа. Когда онъ покидалъ Римъ,—повѣствуетъ все та же легенда,—друзья заставили его принять нѣсколько золотыхъ для того, чтобы быть въ состояніи заплатить за проѣздъ по морю. Но едва онъ вышелъ изъ города, какъ его стали мучить угрызенія совѣсти за то, что онъ нарушилъ обѣтъ бѣдности, и онъ тотчасъ же роздалъ всѣ свои деньги встрѣчнымъ нищимъ. Ниже мы увидимъ, что онъ никогда не отличался такою щепетильностью и широко пользовался кошелькомъ своихъ друзей.

Какъ бы то ни было, онъ достигъ, наконецъ, святой земли. Быть можетъ судьба всего міра весьма измѣнилась-бы, если-бы Лойола привелъ въ исполненіе свои планы въ Палестинѣ и провелъ бы въ ней всю свою остальную жизнь, поддерживая угнетенныхъ христіанъ и обращая на путь истины ихъ невѣрныхъ тирановъ. Но начальники католическаго духовенства въ Іерусалимѣ оттолкнули его, не видя пользы отъ этого, лишеннаго всякихъ средствъ, невѣжественнаго фанатика, безъ друзей, безъ пониманія политическихъ нуждъ ихъ положенія. Игнатій принужденъ былъ вернуться на свою родину, на этотъ разъ ужъ настоящимъ нищимъ, перевозимымъ и питаемымъ сострадательными людьми.

Однако это путешествіе не осталось безъ результатовъ.

Онъ убѣдился, что для достиженія какой бы то ни было цѣли прежде всего необходимы знанія и немедленно принялся за пріобрѣтеніе ихъ. Цѣлыхъ два года онъ учился въ Барцелонѣ; потомъ посѣщалъ лекціи философіи въ университетѣ въ

Алькала и наконецъ слушалъ курсъ теологіи въ
Саламанкѣ. Этотъ человѣкъ, одаренный желѣз-
ной волей и не передъ чѣмъ не останавливающейся
рѣшимостью, тридцати трехъ лѣтъ отъ роду сѣлъ
на школьную скамью. И вмѣстѣ съ этимъ, рядомъ
со своими подготовительными занятіями, онъ да-
валъ уроки катехизиса дѣтямъ, женщинамъ и
мужчинамъ изъ простонародья и проповѣдывалъ
на улицахъ. Онъ уже дѣйствовалъ, какъ вождь
секты и съумѣлъ завоевать симпатіи многихъ благо-
честивыхъ особъ, въ особенности дамъ, увлекав-
шихся его мистицизмомъ и красnorѣчіемъ и
осыпавшихъ его подарками. Вскорѣ онъ собралъ
вокругъ себя нѣкоторое число учениковъ и по-
слѣдователей, которые, впрочемъ, не остались
вѣрны ему до конца [1]. Всѣ эти занятія мѣшали его
успѣхамъ въ наукахъ еще и потому, что, желая
все узнать сразу, онъ работалъ безъ системы и
метода [2]. Само собой разумѣется, что инквизиція
обезпокилась такимъ поведеніемъ Лойолы и во-
образила, что онъ послѣдователь иллюминатовъ,
гностической секты, обнаружившейся именно въ
это время въ разныхъ мѣстностяхъ Испаніи. Игнатій
дважды подвергался тюремному заключенію: въ
Алькала онъ высидѣлъ 42 дня, въ Саламанкѣ—
три недѣли. Убѣдившись въ его невинности, его
выпустили на свободу, но предписали ему изучать

---

[1] Orlandino, *Historia societatis Jesu,*t. I (Roma, 1615)
lib. I, cap. 52, стр. 14.
[2] *AA. SS. Jul.* VII, 445.

въ продолженіи четырехъ лѣтъ теологію, прежде чѣмъ осмѣливаться поучать въ религіи и пропо- вѣдывать. Во всѣхъ этихъ неудачахъ Лойола усма- тривалъ только испытанія, ниспосылаемыя ему Богомъ для лучшаго подготовленія его къ его апостолической миссіи; однакоже онѣ до нѣко- торой степени разочаровали его въ его родинѣ и привели къ рѣшенію отправиться въ Парижъ. Гдѣ же, какъ не въ Сорбоннѣ, въ знаменитѣй- шемъ факультетѣ всего христіанскаго міра, онъ могъ вѣрнѣе всего получить тѣ глубокія позна- нія, которыя отъ него требовались? Кромѣ того, онъ надѣялся легче найти въ этомъ большомъ городѣ и среди многочисленной университетской молодежи подходящихъ товарищей для исполне- нія своего плана основать сообщество, имѣющее цѣлью обращать язычниковъ и еретиковъ. 2 фев- раля 1528 г. [1] Лойола прибылъ въ Парижъ, совершивъ все это длинное путешествіе пѣш- комъ.

Требованія Парижскаго университета значи- тельно превышали требованія испанскихъ школъ. Лойола долженъ былъ переучивать все съ самого начала и снова пройти въ коллежѣ Монтэгю классы грамматики и философіи прежде чѣмъ по- лучилъ возможность взяться за теологію. Сколько нужно было какой-то мрачной и величественной энергіи со стороны почти сорокалѣтняго чело-

---

[1] См. письмо Лойолы къ Агнессѣ Поскоала отъ 3 марта 1528 г. въ книгѣ Geneili (фр. переводъ Sainte-Foi. Paris, 1857), т. I, стр. 150.

вѣка, принужденнаго изучать элементарныя осно-
вы наукъ вмѣстѣ съ дѣтьми! Уроки Алькалы и
Саламанки не пропали для него даромъ: онъ за-
ставилъ на время замолчать свой религіозный
энтузіазмъ и цѣликомъ предался ежедневному
труду. Біографы Игнатія, желая какъ можно
болѣе увеличить заслуги этого святого, увѣряютъ,
что онъ, не имѣя средствъ къ существованію,
просилъ Христа ради у домовъ. Однако, его
письма свидѣтельствуютъ съ полной очевидностью,
что его друзья и въ особенности его барселон-
скія поклонницы аккуратно присылали ему денеж-
ную помощь и что онъ не стѣснялся просить у
нихъ все новые дары, не только для своей жизни,
но и для уплаты за получаемыя имъ академическія сте-
пени [1]. Во время вакацій онъ аккуратно посѣ-

____

[1] 10 ноября 1532 г. онъ пишетъ Елизаветѣ Розе (Roser)
въ Барцелонѣ: „Я получилъ черезъ доктора Бенетъ три
письма Ваши и двадцать дукатовъ“. 13-го іюня 1533 г. онъ
пишетъ Агнессѣ Паскоала: „Прошелъ годъ, какъ я полу-
чилъ Ваше письмо черезъ доктора Бенета вмѣстѣ съ по-
даяніемъ и провизіей, привезенными имъ для меня изъ
Барцелоны... Хотя я уже и отвѣтилъ Вамъ на Ваше письмо,
тѣмъ не менѣе мнѣ захотѣлось еще написать Вамъ, такъ
какъ знаю, что это будетъ Вамъ пріятно, а кромѣ того
и съ цѣлью доставить себѣ средства дѣлать бо́льшіе успѣхи
въ наукахъ, чѣмъ это было до сихъ поръ; ибо я полу-
чилъ этимъ постомъ степень *магистра* и по этому
случаю долженъ былъ истратить больше, чѣмъ я хотѣлъ
и могъ... Поэтому я написалъ къ Цепилла, предлагавшей
мнѣ въ одномъ изъ своихъ писемъ помогать мнѣ всѣми
своими силами и просившей сообщить ей обо всемъ, въ чемъ
я нуждаюсь. Я пишу также Елизаветѣ Розе... сдѣлавшей для

щалъ различные города Бельгіи [1] и даже Лондонъ, не столько для того, чтобы собирать милостыню, сколько съ цѣлью выхлопатывать себѣ правильныя пособія.

Благодаря такому образу дѣйствій, онъ жилъ довольно широко и могъ заниматься обдумываніемъ своего замысла, становившагося для него все яснѣе: онъ мечталъ объ основаніи новаго ордена для распространенія истинной вѣры. Онъ повѣрилъ свою мысль прежде всего своему товавищу, съ которымъ онъ раздѣлялъ келью въ

меня больше, чѣмъ она въ сущности могла... Жена Гралла обѣщала мнѣ нѣсколько разъ помогать мнѣ во время моихъ занятій и дѣйствительно дѣлала это. То же долженъ я сказать и о доннѣ Елизаветѣ де-Коза и о доннѣ Альдонцѣ да-Кордова, которыя также помогали мнѣ. Будьте добры напомнить имъ обо мнѣ. Я думаю, что если бы ла-Гралла узнала о моей нуждѣ, она приняла бы участіе въ тѣхъ пожертвованіяхъ, которыя будутъ сдѣланы въ мою пользу. Устройте это дѣло съ нею и съ остальными такъ, какъ Вы найдете это лучшимъ". Это письмо доказываетъ, что св. Игнатій не довольствовался случайнымъ подаяніемъ и прекрасно умѣлъ эксплуатировать своихъ благодѣтельницъ, и не только для своихъ необходимыхъ нуждъ, но и для потребностей роскоши. Тонъ этихъ писемъ замѣчательно сухъ, совершенно дѣловой и обнаруживаетъ весьма мало религіознаго энтузіазма.
[1] Conf. MS. *Historia breviter complectens initium ac progressum Soc. Jesu in civit. Antverp.* (Bruxelles, Bibl. de Bourgogne): Cum. R. P. Jacobus Laynez Antverpiam venisset, sese in amicitiam mercatorum hispanorum qui tum Antverpiae erant insinuavit... *eorum maxime qui R. P. Ignatium (piae memoriae) Lutetia venientem hospitio acceperant suisque eleemosynis eius studia foverant, dum Lutetiae operam litteris daret.*

коллежѣ св. Варвары, савойцу Петру Ле Февру, ставшему изъ пастуха — богословомъ; потомъ своему соотечественнику Франциску Ксавье Пампелунскому, человѣку благороднаго происхожденія и сильнаго ума, бывшему уже профессоромъ философіи въ коллежѣ въ Бове и отказавшемуся отъ значительнаго духовнаго и свѣтскаго положенія для того, чтобы раздѣлить участь своего друга. Въ этомъ случаѣ Игнатій вполнѣ обнаружилъ свое умѣніе привязывать къ себѣ людей: онъ привлекъ Ле Февра, оказывая ему матеріальную помощь, а Ксавье—доставляя ему слушателей на его первыя лекціи, что составляло предметъ заботъ и честолюбія молодого профессора [1]. Такимъ образомъ онъ добился ихъ довѣрія и пріобрѣлъ ихъ дружбу. Послѣ этого онъ началъ воспитывать ихъ въ нужномъ ему направленіи, пытаясь внушить имъ свой собственный энтузіазмъ. Его усилія увѣнчались полнымъ успѣхомъ. Тогда онъ подвергъ ихъ строгимъ духовнымъ испытаніямъ, постамъ и лишеніямъ, и постепенно сдѣлалъ изъ нихъ послушныя орудія своей воли. Достигнувъ этого успѣха, онъ употребилъ всѣ денежныя средства, какія могъ добыть, на привлеченіе къ своему плану возможно большаго числа своихъ соотечественниковъ. Постепенно въ составъ этого маленькаго кружка вошли: Яковъ Лайнесъ изъ Альманцы, Альфонсъ Сальмеронъ

---

[1] Orlandino, l. I, cap. 79, 85, стр. 22—23. Лойола пріобрѣлъ симпатіи Бобадиллы такимъ же способомъ, какимъ добился расположенія Ле Февра.

изъ Толедо, Николай Бобадилла и португалецъ Симонъ Родригецъ изъ Ацеведо.

Наконецъ Лойола достигъ своей цѣли: 15 августа 1584 года его товарищи и онъ основали новый орденъ, принеся въ церкви св. Марiи на Монмартрскихъ высотахъ обѣтъ цѣломудрiя, бѣдности и обѣщанiе предпринять духовный крестовый походъ въ Палестину для обращенiя мусульманъ и для служенiя бѣднымъ христiанамъ Сирiи. Въ случаѣ же, если бы послѣднiй обѣтъ оказался невыполнимымъ, они обѣщали отдаться въ полное распоряженiе папы, обязуясь служить ему гдѣ и какъ онъ пожелаетъ, безъ всякихъ предварительныхъ условiй и какого бы то ни было вознагражденiя. Такимъ образомъ, истинная цѣль ихъ союза была еще довольно неопредѣленна. Вскорѣ къ нимъ присоединились савоецъ Клавдiй Ле Жэ и два француза:—Иванъ Кодюръ и Бруэ.

Таково было темное и скромное начало iезуитскаго ордена!

Прежде всего первые его основатели спокойно докончили свои научныя занятiя; потомъ, въ 1535 году, они разстались, назначивъ себѣ свиданiе въ Венецiи, въ началѣ 1537 года. Лойола отправился въ Испанiю, чтобы привести въ порядокъ свои семейныя дѣла, а также и дѣла своихъ друзей. Прiѣхавъ на свою родину, онъ роздалъ все свое имущество бѣднымъ и благотворительнымъ учрежденiямъ и удивлялъ народъ этузiазмомъ своихъ проповѣдей и строгостью своей жизни. Въ назначенный срокъ десять друзей встрѣтились въ Венеціи. Тутъ передъ ними встали новыя препятствія. Война, вспыхнувшая между Венеціанской республикой и Оттоманской имперіей, сдѣлала ихъ отъѣздъ на Востокъ въ это время невозможнымъ. Въ Венеціи Лойола былъ вторично обвиненъ въ ереси и ему стоило большого труда оправдаться [1]. Тогда онъ началъ колебаться въ своихъ первоначальныхъ рѣшеніяхъ и остался еще на цѣлый годъ въ Венеціи, чтобы выждать удобный случай для путешествія въ Святую Землю; если же такого случая не представится, онъ и его товарищи рѣшили, что это будетъ указаніемъ, что божественная воля предназначаетъ имъ иное поле дѣятельности. И дѣйствительно, въ Венеціи Игнатій нашелъ, наконецъ, свою истинную и окончательную цѣль.

Стараніями богатаго сенатора, Джироламо Міани, были основаны во всѣхъ большихъ городахъ Венеціанской республики многочисленные пріюты-больницы и отданы въ завѣдываніе театинцевъ. Самъ Караффа, переселившійся со времени римской осады (1527) въ Венецію, наблюдалъ за этими учрежденіями. Игнатій поселился у театинцевъ и со всѣмъ пыломъ своего темперамента отдался служенію въ ихъ больницахъ. Здѣсь онъ убѣдился, что цѣль существованія этой общины была истинной миссіей всякаго воина христова, въ особенности же проповѣдь, борьба съ ересями и преподаваніе. Но тѣсныя

---

[1] Ribadeneira. AA. SS. Jul. VII, 691.

границы, установленныя Караффой для его кон-
грегаціи, въ сущности непосредственно предна-
значавшейся для преобразованія высшаго духо-
венства, показались ему слишкомъ узкими. По
этому поводу между нимъ и епископомъ неапо-
литанскимъ стали происходить все болѣе и бо-
лѣе горячіе споры, приведшіе, въ концѣ концовъ,
къ разрыву, правда, почти неизбѣжному между
такими горячими темпераментами, такими власт-
ными и честолюбивыми натурами, каковы были
оба эти человѣка, принадлежавшіе вдобавокъ
къ двумъ глубоко ненавидѣвшимъ другъ друга
націямъ; но это не помѣшало, однако, Лойолѣ
позаимствовать у театинцевъ основную идею и
многія характерныя черты ихъ ордена.

По обыкновенію біографы Лойолы старательно
умалчиваютъ объ одной подробности, которая,
тѣмъ не менѣе, вполнѣ установлена письмами са-
мого св. Игнатія, а именно онъ и въ Венеціи,
по прежнему, продолжалъ пользоваться день-
гами, присылаемыми его благочестивыми почита-
тельницами и другими людьми, расположеніемъ
которыхъ онъ успѣлъ заручиться за время сво-
его ученія въ Испаніи. Онъ самъ говоритъ, что
«состояніе его здоровья больше не позволяетъ
ему переносить бѣдность и физическія лишенія [1]».
Такимъ образомъ, необходимо значительно сба-
вить тѣ восхваленія его добровольной бѣдности

---

[1] Письмо къ Кацандеру, 12 февр. 1536, Menchaca,
Epistolae Sancti Ignatii (Bologna, 1804), I, 2.

и полнаго самоотреченія, которыя столь щедро расточаются іезуитскими историками по адресу ихъ патрона, умѣвшаго, напротивъ, прекрасно согласовать благоразуміе и даже нѣкоторую житейскую хитрость со всѣмъ своимъ религіознымъ рвеніемъ.

Въ это время большинство изъ товарищей Игнатія предприняли путешествіе въ Римъ съ цѣлью испросить у папы одобреніе ихъ предполагаемой поѣздкѣ въ Палестину и осуществить принятую ими на себя миссію. Представленные папѣ имперскимъ посланникомъ, Петромъ Ортицемъ, они легко добились отъ Павла III всего, чего хотѣли, и даже большаго. Его святѣйшество милостиво даровалъ имъ разрѣшеніе получить рукоположеніе во священники отъ избраннаго ими самими епископа и нѣсколько разъ снабжалъ ихъ значительными суммами денегъ. Какъ только они вернулись въ Венецію, Игнатій и всѣ тѣ изъ его товарищей, кто не имѣлъ еще никакого духовнаго сана, были посвящены (въ іюнѣ 1537).

Теперь они стали проповѣдывать по улицамъ. Не смотря на крайнюю странность ихъ костюма,— они были прикрыты какими-то лохмотьями,—ихъ физіономій, — они были измождены добровольными самоистязаніями и постами,—и ихъ языка,— они говорили языкомъ, представлявшимъ смѣсь испанскаго и итальянскаго,—а можетъ быть именно благодаря всѣмъ этимъ странностямъ, они производили глубокое впечатлѣніе на на-

родъ и имѣли большой успѣхъ. Вѣроятно не
малую роль играла при этомъ ихъ суровая, дѣй-
ствительно примѣрная, жизнь.

Прошелъ годъ выжиданія, а удобнаго случая
для поѣздки на Востокъ все не представлялось.
Позволительно думать, что уже въ это время
Игнатій и его друзья и не держались особенно
за этотъ планъ, ибо при ихъ настойчивости они,
конечно, въ концѣ концовъ съумѣли бы добраться
до Палестины. Но, до сихъ поръ неопредѣлен-
ныя и мистическія, стремленія Лойолы приняли,
наконецъ, окончательную и опредѣленную форму.
Было рѣшено, что всѣ снова отправятся въ
Римъ (осенью 1537) разными путями и, по до-
рогѣ, каждый, независимо отъ другихъ, будетъ
обдумывать организацію новаго ордена. Имя,
принятое общиной, было придумано самимъ
Игнатіемъ. Отчасти для того, чтобы не стали
называть ее по его имени, отчасти въ силу
своихъ прежнихъ мыслей и военныхъ стремле-
ній, онъ рѣшилъ назвать ее *Обществомъ Іисуса,*
«какъ когорту или центурію, предназначен-
ную сражаться съ духовными врагами», «какъ
людей, душой и тѣломъ преданныхъ Господу
нашему Іисусу Христу и его истинному и за-
конному викарію на землѣ [1]». Правда, впослѣд-
ствіе іезуиты увѣряли, будто ихъ настоящимъ
основателемъ былъ самъ Іисусъ Христосъ, и что
сами они вполнѣ подражали жизни апостоловъ

---

[1] *Deliberatio primorum patrum*; AA. SS. Jul. VII, 463.

и ихъ первыхъ учениковъ [1]. Но всѣ эти ми-
стическія, а главнымъ образомъ, горделивыя объяс-
ненія не имѣютъ никакого историческаго зна-
ченія.

Вся будущая дѣятельность Общины Іисуса уже
намѣчена въ этомъ высокомѣрномъ и смѣломъ
названіи и въ тѣхъ объясненіяхъ, которыя
даны самими основателями его. Въ немъ ясно
сказывался воинственный, агрессивный характеръ
іезуитовъ, а вмѣстѣ съ тѣмъ ихъ претензія быть
истинными представителями Іисуса и его церкви.
Ничего подобнаго этому обществу не существо-
вало до тѣхъ поръ въ католической церкви.

Поэтому нисколько не удивительно, что вна-
чалѣ Лойола и его друзья были встрѣчены въ
Вѣчномъ городѣ весьма сухо и вызвали тамъ
удивленіе и безпокойство при видѣ горсти лю-
дей, преисполненныхъ такого высокомѣрія. Въ
этомъ Риму чудилась ересь.

Игнатій прибылъ въ Римъ къ концу 1537 года.
Какъ и раньше, онъ и его друзья нашли непо-
средственно у папы очень привѣтливый пріемъ.
Павелъ III выказалъ въ данномъ случаѣ боль-
ше проницательности въ отношеніи интересовъ
церкви, чѣмъ всѣ остальные римскіе прелаты [2].
Папа назначилъ двухъ послѣдователей Лойолы
профессорами по каѳедрѣ теологіи въ римскомъ
университетѣ *Sapienza* и приказалъ епископу-

---

[1] *Imago primi saeculi Soc. Jesu* (Antverp. 1640) стр. 64.
[2] См. у Genelli письмо Лойолы къ Елизаветѣ Розе отъ
19 дек. 1538 г.

губернатору Рима разрѣшить всѣмъ имъ пропо-
вѣдывать. Простой народъ, воспламеняющійся
гораздо легче, чѣмъ высшее общество, сбѣгался
массами къ лойолитамъ, добившимся своими
проповѣдями, преподаваніемъ и уходомъ за боль-
ными большого вліянія. Однако, вскорѣ у нихъ
со всѣхъ сторонъ появились опасные противники.
Въ теченіи восьми мѣсяцевъ, съ марта по ноябрь
1538 г., противъ нихъ составленъ былъ настоя-
щій заговоръ. Прежде всего ихъ оклеветали въ
высшихъ слояхъ римскаго общества; потомъ от-
крыто стали обвинять въ ереси и въ возмуще-
ніи народа. Нѣкоторые кардиналы явно вы-
ступили противъ Игнатія и его друзей и одинъ
изъ этихъ князей церкви запретилъ даже хо-
зяину, у котораго жилъ Лойола, держать его у
себя дольше.

Конечно, всякій другой на мѣстѣ Лойолы ра-
стерялся бы, но онъ остался непоколебимъ. Онъ
посѣтилъ нѣкоторыхъ кардиналовъ и его неза-
висимая манера держать себя и пылкость его рѣ-
чей произвели живѣйшее впечатлѣніе на ихъ
умы. Онъ съумѣлъ добыть документы, проливав-
шіе довольно сомнительный свѣтъ на его обви-
нителей, и представилъ свидѣтелей по своимъ
прежнимъ процессамъ въ Испаніи и въ Парижѣ
и своего оправданія. Одновременно съ этимъ
онъ обратился письменно къ городамъ и прави-
телямъ Италіи, знавшимъ раньше нѣкоторыхъ
изъ его товарищей за людей ревностно-религіоз-
ныхъ, и получилъ отъ нихъ самыя горячія по-

хвалы и рекомендаціи. Такимъ образомъ онъ побѣдилъ своихъ обвинителей и заставилъ ихъ умолкнуть; но такъ какъ всѣ они были люди богатые и вліятельные, то судьи хотѣли замять дѣло и отказались произнести рѣшительный приговоръ и такимъ образомъ навсегда закрыть уста клеветникамъ, какъ того требовалъ Лойола, добивавшійся офиціальнаго признанія своей невинности и своего правовѣрія [1]. Тогда Игнатій обратился прямо къ папѣ, сперва черезъ друзей, а потомъ смѣло отправившись къ нему лично. Цѣлый часъ бесѣдовалъ онъ наединѣ съ первосвященникомъ и вышелъ отъ него полнымъ побѣдителемъ: онъ завоевалъ умъ Павла III. По приказанію послѣдняго губернаторъ Рима началъ новое слѣдствіе, закончившееся самымъ почетнымъ отзывомъ о Лойолѣ и о его товарищахъ (18 ноября 1538 г.). Этотъ приговоръ, восхвалявшій святость ихъ жизни и ученія, произвелъ въ Римѣ глубокое впечатлѣніе, которое потомъ еще усилилось послѣдовавшими затѣмъ распоряженіями папы, предоставившаго имъ религіозное преподаваніе юношеству во многихъ недавно открытыхъ имъ школахъ въ столицѣ. Кромѣ того, во время наступившаго зимою 1538—39 г. голода, они проявили такую замѣчательную, самоотверженную дѣятельность, кототорая вызвала во многихъ большое сочувствіе къ нимъ.

---

[1] *Письмо Лойолы къ Контарини*, 2 дек. 1538. Menchaca. I, 7.

Всѣ эти событія значительно увеличили численность ихъ общества, такъ что они могли начать думать объ окончательной организаціи его. Къ своимъ первоначальнымъ двумъ обѣтамъ, цѣломудрія и бѣдности, они присоединили еще третій—обѣтъ послушанія, но послушанія, весьма непохожаго на то, которое соблюдалось въ другихъ монашескихъ орденахъ. Военный духъ, не угасшій въ Лойолѣ за столько лѣтъ и несмотря на столькія превращенія, заставлялъ его цѣнить абсолютное, точное, не разсуждающее повиновеніе, какъ самую высшую добродѣтель. Тогда какъ во всѣхъ прочихъ духовныхъ орденахъ генералъ избирался лишь на нѣсколько лѣтъ и подъ извѣстными условіями, іезуиты рѣшили избирать его пожизненно и предоставить ему неограниченную власть. Какъ говорилось въ ихъ первомъ прошеніи, поданномъ ими папѣ, онъ долженъ былъ «распредѣлять по своему усмотрѣнію должности и чины и вводить уставы, сообразуясь съ мнѣніемъ совѣта, но во всѣхъ другихъ отношеніяхъ ему принадлежала абсюлютная власть. Его подчиненные должны были почитать въ своемъ генералѣ какъ бы присутствующаго и олицетвореннаго Христа».

Это значило создать новаго папу рядомъ съ уже имѣющимся римскимъ первосвященникомъ; но послѣднему не приходилось завидовать или опасаться іезуитскаго генерала, ибо къ тремъ обычнымъ монашескимъ обѣтамъ они присоединили еще четвертый: они клялись «посвятить свою жизнь на постоянное служеніе Іисусу Христу и папамъ, сражаться подъ знаменемъ креста, служить исключительно только Господу и римскому первосвященнику, какъ намѣстнику Его на землѣ, и при томъ такъ служить, чтобы немедленно, безъ всякихъ колебаній или отговорокъ, на сколько это будетъ въ ихъ силахъ, исполнять все, что теперешній папа, или кто нибудь изъ его преемниковъ, повелитъ ради пользы душъ или для распространенія вѣры, и повиноваться такъ во всѣхъ провинціяхъ, куда только ихъ ни пошлетъ папа, къ туркамъ-ли или къ какимъ нибудь другимъ невѣрнымъ, даже въ Индію, или же къ еретикамъ, схизматикамъ или къ какимъ либо вѣрнымъ».

Всѣ эти постановленія Лойола соединилъ въ пять главъ и представилъ ихъ Павлу III черезъ кардинала Контарини, прося объ ихъ утвержденіи (сентябрь, 1539) [1].

Теперь вспомнимъ въ какомъ положеніи находилось папство въ 1540 г. Въ Германіи ересь распространялась съ неслыханной быстротой. Во Франціи, въ Польшѣ, въ Испаніи и даже въ Италіи Лютеръ пріобрѣлъ многихъ послѣдователей своего ученія. Скандинавскія страны и Англія уже покинули лоно римской церкви. Даже сами католики, остававшіеся еще вѣрными, оказывали рѣзкое протѣводѣйствіе куріи и всѣмъ ея злоупотребленіямъ, нападая на нее и порицая. Им-

_____

[1] *Письмо кард. Контарини къ Лойолѣ* отъ 3 сент. 1539.—Genelli.

ператоръ настойчиво требовалъ всеобщей реформы, грозившей лишить св. престолъ бо́льшей части его привилегій, и притомъ самыхъ доходныхъ. Положеніе папства казалось дѣйствительно безнадежнымъ. И въ такой-то критическій моментъ неизвѣстно откуда является группа пылкихъ, воинственныхъ и преданныхъ людей, предлагающихъ первосвященнику слѣпое повиновеніе и вмѣстѣ съ тѣмъ готовыхъ начать жестокую борьбу за его величіе и власть! Это казалось чѣмъ-то столь прекраснымъ, что едва вѣрилось въ возможность осуществленія его. Хотя Павелъ III съ самаго начала отнесся къ просьбѣ іезуитовъ весьма благожелательно, какъ бы предчувствуя все то значеніе и силу, которыя подобное общество могло со временемъ пріобрѣсти и развернуть на пользу римской церкви; хотя, по словамъ преданія, онъ усмотрѣлъ въ этомъ дѣлѣ «персть Божій», однако, согласно съ установившимся обычаемъ, назначилъ комиссію изъ трехъ кардиналовъ для разсмотрѣнія общихъ уставовъ іезуитовъ. Эти три кардинала обнаружили явную враждебность по отношенію къ предпріятію Лойолы. Самый вліятельный изъ нихъ, Гвидиччіони былъ открытымъ врагомъ всѣхъ вообще религіозныхъ орденовъ, принесшихъ, по его мнѣнію, гораздо больше безпорядковъ и позора для церкви, чѣмъ пользы. Основать новое общество подобнаго-же рода значило, по его словамъ, обречь себя на созерцаніе того, какъ и оно, подобно всѣмъ остальнымъ, вскорѣ выродится и причинитъ новое зло. Онъ не хотѣлъ даже читать уставъ іезуитовъ; когда же его стали убѣждать рѣшиться на это прочтеніе, онъ разразился громовой рѣчью противъ все увеличивавшагося числа новыхъ конгрегацій.

Но Лойола, какъ мы уже видѣли, не былъ человѣкомъ, котораго можно было бы заставить отказаться отъ своей мысли. Его упрямство и политическое лукавство,—черта по преимуществу испанская,—восторжествовали надъ всѣми затрудненіями. Онъ съумѣлъ заинтересовать своимъ дѣломъ нѣкоторыхъ высокопоставленныхъ лицъ. Однимъ изъ этихъ, наиболѣе вліятельныхъ, покровителей былъ достойный и ученый кардиналъ Родольфо Пій де Карпи. Кромѣ него, въ пользу Лойолы высказалась имѣвшая большое значеніе фамилія Контарини, а также Маргарита Австрійская, герцогиня Пармская, пользовавшаяся при папскомъ дворѣ двойнымъ вліяніемъ, какъ дочь Карла V и какъ жена папскаго внука [1]. Быть можетъ наиболѣе дѣйствительнымъ для іезуитовъ оказалось вмѣшательство короля португальскаго, Іоанна III, фанатичнаго католика, желавшаго имѣть въ своемъ распоряженіи нѣсколько отцовъ новаго ордена для того, чтобы пользоваться ихъ услугами какъ въ своемъ собственномъ королевствѣ, такъ и въ португальскихъ колоніяхъ. Его посланникъ въ Римѣ, Маскаренга, приложилъ всѣ свои старанія къ тому, чтобы сломить сопро-

---

[1] AA. SS Jul. VII, 477.

тивленія Гвидиччіони и его сотоварищей [1]. Это удалось ему тѣмъ скорѣе, что папа самъ благоволилъ къ іезуитамъ. Поэтому, въ концѣ концовъ, комиссія сдалась, уступила и предложила утвердить орденъ іезуитовъ.

Такимъ образомъ Лойола торжествовалъ по всей линіи. Его долгое трехлѣтнее выжиданіе въ Римѣ было вполнѣ вознаграждено. 27 сентября 1540 года Павелъ III буллою *Regimini militantis Ecclesiae,*—названіе вполнѣ соотвѣтствующее цѣлямъ новаго общества,—даровалъ свое согласіе на учрежденіе новаго общества, однако, съ условіемъ, чтобы число его членовъ никогда не превышало шестидесяти. Три года спустя это ограниченіе было отмѣнено самимъ же Павломъ III въ буллѣ *Injunctum nobis* (14 марта 1543).

Такъ была установлено это страшное общество, истинное порожденіе испанскаго духа, столь удивительно составленнаго изъ воинственныхъ наклонностей и страстнаго религіознаго фанатизма. Цѣлью этого общества была борьба съ ересью всѣми возможными средствами: проповѣдью, преподаваніемъ, политической и ученой литературой, силой и хитростью, вліяніемъ на сильныхъ міра сего, наконецъ, пламенемъ костровъ; и эта цѣль преслѣдовалась всѣми членами общины съ замѣчательной ловкостью, искусствомъ и настойчивостью. Борьба—была цѣлью самого основателя. «Мнѣ кажется, говорилъ онъ, что я не поки-

---

[1] *Письмо Лойолы къ своему племяннику* отъ 16 марта 1540 г. ; Manchaca.

далъ военной службы, а только перемѣнилъ ее на службу Богу[1]». «То, чѣмъ былъ Амилькаръ для Аннибала, тѣмъ былъ для насъ Игнатій», говоритъ одинъ изъ его учениковъ; по его примѣру, мы клянемся у подножія алтаря вести вѣчную войну[2]». Въ надгробной эпитафіи Лойолы онъ сравнивается съ величайшими полководцами древняго міра, а сами іезуиты очень любятъ изображать себя въ видѣ легіона Господня, преисполненнаго львиной храбрости и благороднаго презрѣнія ко всѣмъ опасностямъ: «каждый изъ насъ, говорятъ они, стоитъ цѣлой арміи[3]». Изъ всего вышесказаннаго ясно, что съ самаго начала іезуиты были увѣрены въ своей цѣли, опредѣленно знали къ чему стремились и въ то-же время имѣли весьма ясное представленіе о собственныхъ качествахъ и заслугахъ.

Само собой разумѣется, что первымъ генераломъ ордена былъ выбранъ самъ Лойола. «Онъ всѣхъ насъ зачалъ въ Іисусѣ Христѣ и вскормилъ насъ своимъ молокомъ», сказалъ Сальмеронъ при подачѣ голоса за Лойолу. Игнатій, изъ чувства приличія немогшій написать самого себя, подалъ свой листокъ чистымъ, вѣроятно для того, чтобы не мѣшать собственной кандидатурѣ. И если, послѣ избранія, онъ и сдѣлалъ видъ, будто отказывается отъ предложенной ему чести, то это, очевидно, было лишь пустой формаль-

---

[1] *Imago primi saec. soc. Jesu*, I, 69.

[2] Ibid., VI. 844.

[3] Ibid., I, 59. III. 401, 410.

ностью, долженствовавшей обнаружить только
его скромность, потому что онъ заранѣе былъ
убѣжденъ въ томъ, что его отказъ не будетъ
принятъ.

По странному стеченію обстоятельствъ, аскети-
ческія мечтанія Лойолы привели его къ основа-
нію самаго практичнаго, упорядоченнаго, дѣятель-
наго и вліятельнаго общества, какое когда либо
существовало. Въ рукахъ бывшаго офицера Карла V
находилась теперь страшная армія; Лойола поспѣ-
шилъ не только воспользоваться ею, но еще, такъ
сказать, отпалировать и наточить это оружіе. Съ
самаго своего начала Общество Іисуса стало гро-
мадною силою.

Его первый генералъ во всѣхъ отношеніяхъ былъ
какъ нельзя лучше пригоденъ для того, чтобы
вести его къ быстрымъ успѣхамъ. Физіономія Лойолы
была чрезвычайно выразительна: лицо, измождён-
ное воздержаніемъ, но съ сильно развитыми кос-
тями, высокій лобъ, небольшіе, но блестящіе и
хитрые глаза, орлиный носъ, энергичный ротъ,
указывающій выдающейся и толстой нижней губою
на чувственность, но побѣжденную большими уси-
ліями, и, наконецъ, оливковый цвѣтъ кожи истин-
наго испанца. Игнатій обладалъ главнымъ каче-
ствомъ, необходимымъ для того, чтобы довести
до благополучнаго конца великое и серьезное
предпріятіе: онъ былъ твердо убѣжденъ въ свя-
тости и полезности задуманнаго имъ дѣла. Онъ
вѣрилъ, что избранъ Богомъ спеціально для того,
чтобы сокрушить Его враговъ и возстановить

во всемъ ея прежнемъ величіи и великолѣпіи мо-
гущество и власть церкви. «Необходимо, говорилъ
онъ, чтобъ вѣра въ Бога была на столько велика,
чтобы человѣкъ, не колеблясь, пустился въ море
на доскѣ, если у него нѣтъ корабля! [1]». Въ себѣ
самомъ онъ подавилъ всѣ желанія, всѣ помыслы,
кромѣ желанія служить Господу, т. е. римской
церкви. Его почитаніе ея не знало границъ: «Если
церковь утверждаетъ, говорилъ онъ, что то, что
намъ кажется бѣлымъ, есть черное, мы должны
немедленно признать это». Понятно, что подоб-
ное совершенное отреченіе отъ человѣческаго ра-
зума въ вопросахъ религіи должно было есте-
ственно привести учениковъ Лойолы къ нѣко-
торой склонности къ суевѣріямъ, что дѣйстви-
тельно и случилось. Защищая дѣло римской церк-
ви, Игнатій обнаружилъ несокрушимую настой-
чивость и энергію: «Работающіе въ вертоградѣ
Господнемъ должны были опираться на землю
лишь одной ногой, другая должна уже быть
приподнятой для продолженія пути». Съ гор-
дымъ презрѣніемъ выносилъ онъ всѣ труды, ли-
шенія, оскорбленія и насмѣшки міра. Если инте-
ресы церкви или его собственнаго ордена не за-
трогивались, онъ былъ добръ и человѣченъ: «Вся-
кій разъ, что мы указываемъ на недостатокъ дру-
гого,—мы обнаруживаемъ свою собственную сла-
бость». «Если предметъ нашей любви, т. е. Богъ,
безконеченъ, мы всегда можемъ увеличивать эту

---

[1] *Sententiae asceticae S. P. Ignatii de Loyola pro
quotidiana consideratione* (Mindelheim, 1716).

любовь и черезъ нее стать совершеннѣе». Можно
думать, что та непримиримая вражда, которую
онъ несъ по отношенію къ ереси, казалась ему
благодѣяніемъ для рода человѣческаго. Помимо
этой великой задачи ничто не представляло для
него ни малѣйшаго интереса и онъ твердо рѣ-
шилъ всѣмъ пожертвовать для дѣла, къ кото-
рому онъ былъ призванъ самимъ Господомъ.
«Отреченіе отъ собственной воли лучше воскре-
шенія мертвыхъ»,—это замѣчательное положеніе
оказалось чреватымъ удивительными и плодотвор-
ными послѣдствіями. Въ борьбѣ, которую велъ Лой-
ола, онъ не зналъ страха: «Штиль хуже всякой бури
и никакой врагъ не страшенъ такъ; какъ отсут-
ствіе враговъ».

Дѣло, предпринимаемое Лойолой, казалось
ему столь высокимъ и имѣющимъ такое сверхъ-
естественное значеніе, что всѣ средства, помогаю-
щія и служащія ему, казались Лайолѣ хоро-
шими: «Чрезвычайное благоразуміе, соединен-
ное съ посредственной святостью, говоритъ онъ,
лучше, чѣмъ большая святость съ малымъ благо-
разуміемъ». Не заключаются-ли въ этихъ словахъ
зародыши всѣхъ тѣхъ моральныхъ заблужденій,
въ которыя впослѣдствіи впали іезуиты? И не
странно-ли звучатъ эти слова въ устахъ чело-
вѣка, предававшагося нѣкогда мистическому бла-
гочестію? Такова психика испанца: никогда нѣ-
мецкій или голландскій мистикъ не могъ бы вы-
сказать подобной сентенціи!—Извѣстно, что іезуиты
во всѣ времена были прекрасными «уловителями

душъ»; оказывается, что и это, незавидное искусство имъ преподалъ самъ святой Игнатій: «хорошій ловецъ душъ долженъ сперва не замѣчать очень многаго, какъ будто онъ вовсе ничего не видитъ; позднѣе, когда онъ овладѣетъ волею человѣка, онъ будетъ въ состояніи направлять ученика добродѣтели, куда ему заблагоразсудится».—«Не слѣдуетъ сразу заговаривать о вещахъ духовныхъ съ тѣми людьми, которые поглощены матеріальными заботами: это значило бы закинуть уду безъ приманки». Каковы же были тѣ люди, которыхъ желалъ принять въ свою общину этотъ священникъ, столь смиренный, по его словамъ, передъ божественнымъ Провидѣніемъ? Отвѣтъ на этотъ вопросъ мы находимъ у личнаго секретаря Лойолы, отца Поланко. «Лойола, пишетъ онъ, обращалъ меньше вниманія на природную доброту души, чѣмъ на твердость характера и на *ловкость въ дѣлахъ*, ибо онъ держался того взгляда, что кто не имѣлъ способностей къ общественнымъ дѣламъ, тотъ не годился для общины [1]». Очевидно благочестіе цѣнилось очень не высоко, когда дѣло касалось земныхъ интересовъ ордена Іисуса. Въ очень подробномъ письмѣ, адресованномъ ректору коллегіи въ Коимбрѣ (1551), отецъ Поланко такъ опредѣляетъ качества, которыя генералъ ордена хотѣлъ бы найти въ послушникахъ общины: прежде всего требуются «прирожденныя способности и склонность либо къ наукамъ,

---

[1] Polanco, *Dichos y hechos de Loyola*; цитировано у Genelli (франц. пер.) II, 239.

либо къ внѣшнимъ добрымъ дѣламъ». Нужны молодые люди извѣстнаго роста и съ приличными физіономіями, ибо «таковыхъ требуетъ намъ нашъ образъ жизни и наши сношенія съ ближними». Нигдѣ не говорится ни слова о религіозномъ призваніи или о высокомъ благочестіи, какъ о необходимыхъ условіяхъ для всѣхъ, желающихъ вступить въ общину: сообразительность, расторопность въ дѣлахъ, пріятная внѣшность — вотъ все, что требуетъ Лойола! Уже одна эта программа проливаетъ яркій свѣтъ на характеръ св. Игнатія и на то общество, которому онъ далъ имя Іисуса.

Человѣкъ, въ которомъ смѣшиваются благочестіе, самоотреченіе, фанатизмъ, хитрость, дикая энергія и отсутствіе всякой щепетильности, конечно не можетъ вызывать симпатіи въ насъ, привыкшихъ цѣнить честность и прямоту, какъ высшія достоинства человѣка. Но нельзя не восхищаться мудростью Лойолы и его желѣзной волей и нельзя не сознаться, что онъ, съ его характеромъ, былъ какъ нельзя лучше приспособленъ для организаціи и распространенія воинствующаго ордена.

Однако способности Лойолы не шли дальше этого и не могли создать ничего болѣе возвышеннаго. Какая противоположность между нимъ и суровой и простодушной честностью его, ненавидимаго имъ, противника, этого нижне-саксонца, того Лютера, все дѣло котораго Игнатій разрушилъ бы съ такимъ наслажденіемъ! Но

грубый саксонскій крестьянинъ, вдохновленный
своей могучей любовью къ истинѣ, былъ гораздо
больше творцомъ и имѣлъ успѣхъ совсѣмъ иного
рода, чѣмъ хитрый и пронырливый баскъ, самое
религіозное рвеніе котораго было сильно окра-
шенно плутовствомъ. Отъ такого сравненія нрав-
ственность ничего не теряетъ.

ГЛАВА ТРЕТЬЯ.

Быстрое развитіе іезуитскаго ордена.

Дѣятельность первыхъ іезуитовъ.—Почему Лойола постоянно заставлялъ ихъ путешествовать.—Быстрое увеличеніе ордена.—Привилегіи, данныя ихъ ордену папами.—Лойола пріобрѣтаетъ милости вельможъ. — Іезуиты въ Италіи.—Collegium Romanum и Collegium Germanicum.—Іезуиты въ Ирландіи.—Враждебность Карла V и испанскаго духовенства по отношенію къ іезуитамъ.—Св. Францискъ де Борджіа вводитъ ихъ въ Испанію.—Филиппъ II и іезуиты.—Затрудненія, испытываемыя ими при попыткахъ проникнуть въ Нидерланды.—Іезуиты въ Португаліи: они становятся господами страны. Противодѣйствіе іезуитамъ со стороны парижскаго университета и французскаго духовенства.—Условное допущеніе во Францію.—Іезуиты въ Германіи: Вильгельмъ IV Баварскій и Фердинандъ I Богемскій и Венгерскій.—Іезуиты не могутъ быть назначаемы на духовныя должности.—Іезуиты борятся съ *интеримомъ*.—Петръ Канизій и его катехизисъ.—Іезуиты въ Вѣнѣ, въ Прагѣ и въ Ингольштадтѣ.—Палестина.—Искусное управленіе Лойолы.—Онъ выступаетъ борцомъ за римскую ортодоксію.—Онъ унижаетъ Лайнеца, Бобадиллу, Родригеца, т. е. всѣхъ наиболѣе вліятельныхъ подчиненныхъ.—Его деспотизмъ и притворное смиреніе.—Семейныя отношенія.—Неблагорасположеніе Павла IV къ іезуитамъ. — Желаніе назначить Лойолѣ викарія.—Смерть Лойолы.—Распространеніе іезуитскаго ордена по смерти его основателя. — Оцѣнка роли, сыгранной іезуитами въ теченіи XVI вѣка.

Какъ только орденъ іезуитовъ былъ утвержденъ папою, онъ немедленно началъ свою дѣятельность. Немногочисленные члены его находились въ постоянныхъ разъѣздахъ, во-первыхъ для того, чтобы всюду выдвигать заслуги общества, а главнымъ образомъ, чтобы увеличивать, распространять и дѣлать его все болѣе вліятельнымъ. Игнатій придерживался правила никогда не посылать никого изъ своихъ подчиненныхъ на его родину, т. е. туда, гдѣ у человѣка могли существовать иныя связи и иные интересы, кромѣ интересовъ ордена. Напротивъ того, обыкновенно онъ посылалъ французовъ въ Португалію, испанцевъ во Францію, итальянцевъ въ Испанію. Онъ хотѣлъ выработать изъ своихъ іезуитовъ космополитовъ, годныхъ ко всякой дѣятельности, нигдѣ не теряющихся, не имѣющихъ другой отчизны, кромѣ своей общины. Первое время онъ заставлялъ ихъ путешествовать почти постоянно въ самыхъ отдаленныхъ областяхъ, при чемъ каждый изъ нихъ никогда не оставался подолго въ одномъ и томъ же мѣстѣ для того, чтобы численность ордена казалась больше, чѣмъ была въ дѣйствительности, и для того еще, чтобы выказать передъ государями и народами дѣятельность новаго учрежденія. Этимъ же путемъ Лойола испытывалъ слѣпое повиновеніе своихъ подчиненныхъ. Замѣтимъ, что онъ имъ строго запрещалъ всякое проявленіе исключительнаго аскетизма, склонности къ молитвѣ или къ созерцанію, приказывая имъ главнымъ образомъ заниматься умственнымъ трудомъ и выполненіемъ тѣхъ обязанностей, которыя онъ возлагалъ на нихъ въ интересахъ общества и апостолическаго престола [1].

Результаты этихъ искуссно разсчитанныхъ мѣръ

---

[1] Orlandino, lib. VIII, cap. 8, стр. 224.

оказались замѣчательными. По истеченіи шести
лѣтъ послѣ основанія ордена, его имя гремѣло
по всему свѣту, а его члены считались уже сот-
нями. Лойола никогда не придерживался обяза-
тельнаго для ордена числа, т. е. шестидесяти чле-
новъ. Посредствомъ весьма смѣлаго толкованія
въ эту цифру онъ включалъ только полноправ-
ныхъ іезуитовъ, такъ называемыхъ *профеесовъ*,
число которыхъ, въ бытность его генераломъ,
возростало лишь очень медленно, ибо онъ на-
граждалъ этой высшей степенью лишь тѣхъ,
которыхъ считалъ вполнѣ проникнутыми его соб-
ственнымъ духомъ и особенно нужными и полез-
ными для общества [1]. Онъ самъ изложилъ всѣ эти
свои воззрѣнія съ полной откровенностью: «Хотя
личное чувство особенно притягивало его всегда
къ тѣмъ, кто оказывалъ похвальные успѣхи въ
изученіи наукъ, однако, въ силу трудныхъ
обстоятельствъ, въ которыхъ находилась церковь,
онъ все же меньше интересовался тѣми, которые
преуспѣвали въ ученіи, чѣмъ тѣми, которые хорошо
знали свѣтъ и занимали среди человѣческаго об-
щества высокое положеніе; дѣйствуя такъ, онъ
надѣялся, что вскорѣ община извлечетъ изъ этихъ
своихъ членовъ значительныя выгоды [2]». Уже,
начиная съ 1545 года, Лойола сталъ довольно
строгъ при пріемѣ новыхъ членовъ и при ихъ
повышеніи на болѣе важныя должности.

Папы постоянно увеличивали привилегіи ор-

---

[1] Orlandino, lib. IV. cap. 1, стр. 101.
[2] Ibid., l. V.; cap. 2, стр. 144.

дена, оказывавшагося столь полезнымъ для интересовъ св. престола и католичества вообще. Въ 1545 г. Павелъ III даровалъ ему самыя широкія полномочія для совершенія евхаристіи, исповѣди, отпущенія грѣховъ и проповѣди во всѣхъ странахъ міра. Два года спустя онъ навсегда освободилъ іезуитовъ отъ наблюденій за женскими монастырями для того, чтобы они могли всецѣло отдаться спеціальнымъ обязанностямъ своего Общества. Въ 1549 году онъ даровалъ имъ сразу всѣ привилегіи монашескихъ орденовъ и, сверхъ того, право отпускать такіе грѣхи, которые, по каноническому праву, подлежали вѣдѣнію апостолическаго престола. Эта послѣдняя привилегія обыкновенно отмѣнялась на юбилейный годъ, но Юлій III сдѣлалъ исключеніе въ пользу іезуитовъ, повелѣвъ, чтобы для нихъ подобнаго ограниченія не существовало. Этотъ папа, всячески покровительствовавшій ордену Іисуса, снова подтвердилъ въ 1550 г. всѣ ихъ установленія, все, что уже даровалъ имъ его предшественникъ, и вообще осыпалъ ихъ благодѣяніями. Въ слѣдующемъ году онъ пригрозилъ общимъ отлученіемъ, со всѣми карами, вытекающими изъ него, всѣмъ, кто осмѣлится нападать на учрежденія, права и привилегіи Общества или кто воспрепятствуетъ законному исполненію ими обязанностей.

Однако папы были не единственными важными сановниками, благосклонности которыхъ къ ордену Іисуса искалъ Лойола. Онъ выказывалъ замѣчательную ловкость при достиженіи своихъ цѣлей. «Онъ умѣлъ привязать къ себѣ, любезно сообщаетъ оффиціальный историкъ ордена, не только папу и кардиналовъ, но также и посланниковъ королей, князей и всѣхъ тѣхъ особъ, положеніе которыхъ вызывало уваженіе и власть которыхъ заслуживала того, чтобы за ними ухаживали. Онъ часто посѣщалъ ихъ самъ, или же приказывалъ навѣщать ихъ своимъ товарищамъ, и всѣми способами старался заинтересовать ихъ своимъ дѣломъ. Благодаря всѣмъ этимъ услужливымъ стараніямъ, князья и вельможи обходились съ нимъ благожелательно, вѣжливо и благосклонно».

Но льстивыя слова и заискиванія были не единственными средствами, съ помощью которыхъ орденъ Іисуса добивался милостей высокопоставленныхъ лицъ: для достиженія этой желанной цѣли у него были средства болѣе вѣрныя. Прежде всего, взамѣнъ ихъ благосклонности, онъ обѣщалъ имъ содѣйствіе всей своей силы, значеніе которой при этомъ очень преувеличивалось: онъ стремился доказать государямъ, что въ ихъ собственныхъ интересахъ было очень выгодно состоять въ найлучшихъ отношеніяхъ съ добрыми отцами[1]. Кромѣ того князьямъ предлагалась сдѣлка, выгодная для обѣихъ сторонъ: имъ обезпечивалось одобреніе въ томъ случаѣ, если они пожелаютъ

----

[1] Напримѣръ: *Письмо Клода Жея къ Георгу Стокгаммеру*, 10 іюня 1555.—Druffel, т. I, стр. 407, и Menchaca, *Epistolae Jgnatii*, стр. 538.

взять и раздѣлить всѣ имущества другихъ рели-
гiозныхъ общинъ между iезуитами и свѣтской
властью. Это выгодное дѣло iезуиты украшали
громкимъ названiемъ *реформы монастырей*. Ко-
нечно, князья, весьма желавшiе воспользоваться цер-
ковными имуществами, охотно брались за это дѣло
къ обоюдной выгодѣ своей и орденской казны,
тѣмъ болѣе, что отцы всегда умѣли довести все
до благополучнаго конца съ помощью предан-
ныхъ себѣ кардиналовъ. Таковъ былъ образъ
дѣйствiя Лойолы въ Баварiи и затѣмъ и въ
Испанiи, гдѣ дѣло было поведено въ еще болѣе
широкомъ масштабѣ. Говоря о послѣдней, онъ ясно
выражалъ желанiе, «чтобы трудъ ихъ пришелъ къ
хорошему и святому концу, какъ для его вели-
чества Карла V, такъ и для его недостойныхъ,
но весьма преданныхъ слугъ iезуитовъ и къ вя-
щей славѣ Господа Бога [1]».

Какая смѣсь лукавства и ханжества! Въ тѣхъ
же случаяхъ, когда имъ приходилось сообщить
государямъ что либо для нихъ непрiятное, или
же выгодное только для ордена, они всегда
прятались за апостолическiй престолъ, прикры-
ваясь именемъ папы даже и тогда, когда послѣд-
нiй не принималъ никакого участiя въ ихъ ма-
хинацiяхъ.

Такимъ именно средствамъ обязанъ въ боль-
шинствѣ случаевъ орденъ Iисуса своими бы-
стрыми успѣхами.

---

[1] Druffel, l. c.; *Письма Лойолы* у Genelli, 39, 40;
Menchaca, стр. 325.

Слѣдуя примѣру самого Павла III, его сынъ и внуки, правившіе въ Пармѣ, весьма поощряли новое общество. Принцессы дома Фарнезе вскорѣ сдѣлались послушными ученицами Лойолы и охотно подчинялись тѣмъ духовнымъ упражненіямъ, которыя онъ придумывалъ. Въ то же время Лайнецъ отправился въ Венецію, зараженную въ тѣ времена всевозможными ересями, благодаря постоянно смѣняющейся въ ней толпѣ иностранцевъ и обширнымъ торговымъ сношеніямъ. Лайнецъ добился тамъ довольно значительнаго ораторскаго успѣха. Нѣкто Липпомано, членъ одного изъ патриціанскихъ семействъ Венеціи, выхлопоталъ въ 1542 году іезуитамъ право пребыванія въ Венеціи. Постепенно затѣмъ они проникли во многіе города, находившіеся въ зависимости отъ республики св. Марка. Кромѣ того Липпомано уступилъ имъ пріорію въ Падуѣ, принадлежавшую раньше ему, въ которой они тотчасъ же устроили училище и понемногу стали оказывать замѣтное вліяніе на самый духъ знаменитаго Падуанскаго университета. Въ 1544 году мы видимъ Лайнеца уже въ Бресчіи, гдѣ онъ выступилъ противъ приверженцевъ реформаціи. Въ 1552 году одинъ іезуитъ былъ командированъ въ Вальтеллину, подчиненную граубинденскимъ еретикамъ, съ спеціальной цѣлью удержать населеніе въ католической вѣрѣ.

Іезуиты встрѣчаются и въ средней Италіи. Въ Фульджино они просвѣщаютъ необразованныхъ священниковъ; въ Пьяченцѣ и Моденѣ

они борятся противъ схизматическихъ стремле-
нiй и стараются возстановить римскую ортодок-
сiю. Повсюду эти ловкiе люди обращаются къ
аристократiи и къ богачамъ, ибо на ряду съ
желанiемъ какъ можно лучше служить папству
и церкви они озабочены и добыванiемъ себѣ
денегъ, дающихъ и благосостоянiе, и могуще-
ство. Въ Монтепульчiано, близъ Сiенны, члены
мѣстной аристократiи обходили вмѣстѣ съ iезуи-
тами обывательскiе дома, для того, чтобы на-
брать какъ можно больше всякихъ даровъ. Въ
Фаенцѣ, близъ Равенны, отцы iезуиты дѣлаются
всемогущими и становятся совѣтниками всего на-
селенiя; они основываютъ тамъ благотворитель-
ныя общества, которыя въ тоже время незамѣтно
укрѣпляютъ ихъ собственное господство. Имъ
удается вполнѣ уничтожить склонность къ лю-
теранству, распространенную знаменитымъ капуци-
номъ Бернардо Оккино. Въ Феррарѣ другой
изъ первыхъ учениковъ Игнатiя, Ле-Жей, по-
дрываетъ протестантскiя идеи, поддерживавшiяся
здѣсь герцогинею Ренатою, дочерью француз-
скаго короля Людовика XII. Наконецъ, въ 1546
году, они основываютъ свое училище въ Бо-
лоньѣ.

Они не пренебрегали также и южной Ита-
лiей. Сальмеронъ привезъ нѣсколько iезуитовъ
въ Неаполь, гдѣ они съ радостью были приняты
аристократiей и осыпаны ею подарками. Отсюда
они распространились съ поразительной быстро-
той по всему Неаполитанскому королевству и
по Сицилiи.

Въ самомъ Римѣ Игнатій основалъ въ 1550 г. главную резиденцію своего ордена, назвавъ ее *Collegium romanum,* которая должна была быть центральнымъ учрежденіямъ всего ордена. Въ ней преподавались: схоластическая теологія, моральная теологія, священное писаніе, латинскій, греческій и еврейскій языки, по методу парижскаго университета, откуда бралась и большая часть профессоровъ. Въ 1555 году эта коллегія выпустила уже сотню учениковъ, быстро разсѣявшихся по всѣмъ государствамъ Европы. Въ 1557 году Лойола пріобрѣлъ дворецъ Сальвіати, на мѣстѣ котораго и сейчасъ еще находится такъ называемое *Gesù.* Вскорѣ сами кардиналы и доктора стали усердно посѣщать лекціи римской коллегіи, пріобрѣвшей чрезвычайное значеніе во всей римской церкви. Но еще. и въ другомъ отношеніи Римъ сталъ центромъ лойолитовъ. Такъ какъ въ это время главнымъ очагомъ религіозно-реформаторскихъ идей безспорно была Германія, то Игнатій считалъ необходимымъ особенно бороться съ ними на ихъ родной почвѣ и посредствомъ нѣмцевъ же. Вотъ почему въ 1552 г. онъ задумалъ основать въ Римѣ еще и германскую коллегію, въ которой бы воспитывались молодые нѣмцы, спеціально подготовляющіеся для служенія ордену іезуитовъ. Папа Юлій III и тридцать три кардинала, восхищенные этой идеей, немедленно обязались давать по 3000 золотыхъ экю ежегодно, что по нынѣшней цѣнности денегъ составляло приблизительно около 300,000 франковъ. 31 августа 1552 г. спеціальною папскою буллою была утверждена *Collegium germanicum*. Ученики должны были подписываться подъ опредѣленнымъ исповѣданіемъ вѣры и, по истеченіи нѣкотораго срока испытанія, клялись подъ присягою всегда подчиняться папской волѣ не только во время пребыванія въ коллегіи, но и по выходѣ изъ нея. Эта коллегія послужила прототипомъ для всѣхъ епископальныхъ семинарій, учрежденныхъ Тріентскимъ соборомъ. Въ первый годъ ея существованія въ ней числилось двадцать два ученика, во второй двадцать пять. Затѣмъ къ коллегіи прибавили еще спеціальный институтъ для воспитанія благородныхъ юношей, на которыхъ вездѣ и всегда у Лойолы были свои особенные виды.

Словомъ, іезуиты наводнили всю Италію; они захватили въ свои руки высшее управленіе дѣлами религіи, основывали школы, пріобрѣтали большія богатства, устроивали общества, успѣшно боролись съ лютеранскими идеями и повсюду опирались преимущественно на аристократію, могущую и очевидно долженствовавшую быть для нихъ полезнѣе, чѣмъ простой, сѣрый народъ.

Въ 1548 г. папа Павелъ III въ буллѣ *Pastoralis officii cura* [1] высказалъ самое лестное сужденіе объ орденѣ Іисуса: «Мы глубоко цѣнимъ, говоритъ онъ, богатые результаты дѣятельности

[1] См. различныя изд. *Exercitia spiritualia Loyolae*, Введеніе.

Игнатія и основанной имъ общины,—дѣятельно-
сти, постоянно направленной на благо церкви
Господней во всѣхъ странахъ».

Вскорѣ іезуиты уже заняли открыто враждеб-
ное положеніе противъ всѣхъ еретическихъ госу-
дарствъ. Двое изъ ихъ отцовъ, Сальмеронъ и
Паскье-Бруэ, съ формальнаго согласія Лойолы
были посланы папой въ качествѣ нунціевъ въ
Ирландію, для того, чтобы поддерживать тамъ
католиковъ, угнетаемыхъ Генрихомъ VIII, коро-
лемъ Англіи. Не имѣя никакихъ средствъ, пере-
одѣтые ради безопасности, предпріимчивые іезуиты
проникли въ Ирландію, не зная даже ея языка.
Преслѣдуемые какъ дикіе звѣри всѣми сторон-
никами короля и должностными лицами, прене-
брегая тысячами опасностей, скрываясь въ убо-
гихъ хижинахъ бѣдняковъ, Сальмеронъ и Пас-
кье обошли весь островъ, ободряя вѣрныхъ сы-
новъ католической церкви и по мѣрѣ возмож-
ности организуя ихъ. Однако папа вскорѣ ото-
звалъ ихъ обратно въ Римъ, сознавъ, что по на-
прасну подвергаетъ ихъ неминуемой гибели, не
будучи въ состояніи извлечь изъ нея никакой
особенной выгоды.

Прежде всего нужно было устроить и орга-
низовать орденъ въ странахъ, еще остававшихся
католическими, дабы, расширяя и увеличивая его,
въ то же время задушить въ нихъ малѣйшіе за-
родыши ереси. Между тѣмъ Лойола и его друзья
далеко не у всѣхъ государей и не во всѣхъ стра-
нахъ находили такой радушный пріемъ, какъ въ
Италіи.

Карлъ V, врагъ папскаго вліянія, не обнару-
живалъ благосклонности къ іезуитамъ. Ихъ пол-
ная и исключительная зависимость отъ св. пре-
стола противорѣчила всѣмъ его понятіямъ о не-
обходимости вліянія крупныхъ государей на цер-
ковь и его рѣшенію не терпѣть въ своемъ госу-
дарствѣ никакихъ такихъ учрежденій, которыя
бы не зависѣли прежде всего отъ него самого.
Кромѣ того противъ іезуитовъ стали и домикани-
канцы, обладавшіе громадной властью въ Испаніи
въ качествѣ оффиціальныхъ инквизиторовъ, си-
стематически поддерживаемыхъ королевскою вла-
стью. Они употребили всѣ свои силы на проти-
водѣйствіе общинѣ, которая, какъ они основательно
полагали, грозила лишить ихъ большей части
ихъ преимущественнаго положенія. Іезуитовъ упре-
кали въ томъ, что они принимали къ себѣ много
новообращенныхъ христіанъ изъ евреевъ, а этотъ
сортъ людей всегда былъ подозрителенъ и нена-
вистенъ для всѣхъ старыхъ христіанъ, для всѣхъ
истинныхъ кастильцевъ. Мельхіоръ Кано, знаме-
нитѣйшій изъ доминиканскихъ теологовъ, былъ
злѣйшимъ врагомъ іезуитовъ и осыпалъ ихъ
инвективами, называя ихъ предтечами Антихриста.
Какъ на убѣдительнѣйшій доводъ противъ Лой-
олы, онъ указывалъ на то обстоятельство, что онъ
не могъ творить чудесъ подобно основателямъ
францисканскаго и доминиканскаго орденовъ,
которые творили ихъ при жизни, такъ какъ были
истинными посланниками Божіими. Саламанкскій
и Алькаласкій университеты высказались тоже

противъ іезуитовъ. Донъ Мартинецъ Силичео, кардиналъ-архіепископъ толедскій, примасъ Испаніи, запретилъ подъ страхомъ отлученія, всей своей паствѣ исповѣдываться у іезуитовъ, а духовенству—вступать въ какія бы то ни было сношенія съ ними. Въ Сарагоссѣ, столицѣ Арагоніи, генеральный викарій не только отлучилъ ихъ, но и возмутилъ противъ этихъ пришельцевъ простой народъ. Объ нихъ разсказывали, что по ночамъ они принимали у себя женщинъ, преданныхъ ихъ ордену [1]. Только поддержка папы была въ состояніи защитить ихъ противъ недоброжелательства всего испанскаго духовенства.

Однако-же народъ оказался настроеннымъ гораздо благопріятнѣе, чѣмъ духовенство; это и понятно, такъ какъ общество Іисуса слишкомъ тѣсно связано съ Испаніей, чтобы надолго быть исключеннымъ ею. Духъ Испаніи, такъ сказать, воплощался въ обществѣ лойолитовъ. Основатель ордена, такъ же какъ и его важнѣйшіе и способнѣйшіе члены, принадлежали Испаніи; тысячи узъ связывали іезуитовъ именно съ этой страной, тысячи симпатій уже существовали между нею и ими. Своимъ первымъ и самымъ блистательнымъ успѣхомъ въ Испаніи новая община обязана одному изъ виднѣйшихъ и вліятельнѣйшихъ мѣстныхъ аристократовъ Франциску Борджія, герцогу Гандія и вице-королю Каталоніи. Этотъ крупный магнатъ сталъ истиннымъ основателемъ испанской вѣтви ордена Іисуса. Въ 1548 году онъ вступилъ

---

[1] *Imago primi saeculi,* I, стр. 739.

въ его члены, а на слѣдующей годъ поручилъ ему университетъ, основанный имъ на собственный счетъ въ принадлежавшемъ ему городѣ Гандія. Все его громадное политическое и моральное вліяніе было имъ употреблено на пользу іезуитовъ. Къ тому же и весь простой народъ, побуждаемый тѣми же самыми чувствами, которыя господствовали и въ самой ихъ общинѣ, почти всюду открыто высказывался за нее. Въ Валенсіи толпа слушателей, собиравшихся вокругъ посланнаго туда іезуитскаго проповѣдника, была такъ велика, что не могла вмѣститься ни въ одной изъ тамошнихъ церквей. Въ университетскомъ городѣ Алькала іезуитъ Францискъ Виллануева, не имѣвшій ни связей, ни литературнаго образованія, увлекалъ всю аудиторію жаромъ своихъ проповѣдей. Наконецъ въ 1548 году іезуиты выстроили свою коллегію въ Саламанкѣ, такъ сказать, въ самыхъ нѣдрахъ знаменитѣйшаго испанскаго университета. Изъ этихъ то двухъ большихъ университетовъ, сперва боровшихся съ новой общиной, а потомъ подпавшихъ ея несокрушимому вліянію на національной духъ испанскаго народа, іезуиты быстро распространились по всей Испаніи.

Съ самыхъ первыхъ лѣтъ существованія ордена, Лойола заставлялъ нѣкоторыхъ изъ его молодыхъ членовъ заниматься въ знаменитомъ Лувенскомъ университетѣ, а также и въ Парижскомъ. Общество Іисуса должно было внушать всему міру уваженіе къ себѣ замѣчательной учености своихъ членовъ на ряду съ личною бѣдностью и совершенной строгостью нравовъ; такой контрастъ долженъ былъ обращать на себя особенное вниманіе. Въ 1543 году 19 юношей изъ лучшихъ фамилій Лувена были зачислены Ле-Февромъ въ члены ордена: изъ нихъ девятеро были посланы въ Португалію, а остальные остались пока въ Лувенѣ, гдѣ, по приказу генерала, были помѣщены въ одномъ домѣ и подчинены особому ректору. Сперва эта община подвергалась ѣдкимъ нападкамъ профессоровъ стараго университета, боявшихся всепоглощающаго духа ордена, но потомъ, не смотря на все это, община іезуитовъ постепенно росла, медленно, не торопясь и стараясь не обращать на себя вниманія ненужнымъ шумомъ, такъ какъ ихъ орденъ офиціально не былъ еще допущенъ въ Нидерландахъ. Епископъ Камбрэ, Робертъ де-Круа, запретилъ даже іезуитамъ отправлять какія бы то ни было духовныя обязанности (1554) въ его епархіи и не отмѣнилъ этого постановленія, не смотря на заступничество брюссельскаго апостолическаго нунція: Робертъ зналъ, что его поддержитъ его монархъ.

Вниманіе Лойолы было особенно привлекаемо именно этими цвѣтущими и богатыми провинціями, уже охваченными ересью. Онъ самъ говоритъ объ этомъ въ своемъ письмѣ къ графу Бергу [1]. Поэтому онъ радостно привѣтствовалъ въ 1555 г. отреченіе императора отъ всѣхъ своихъ нидерландскихъ провинцій, надѣясь найти у его преемника лучшее отношеніе къ своему обще-

---

[1] Genelli, II, 263.

ству. Къ Филиппу II немедленно былъ посланъ
іезуитъ Рибаденейра, но оказалось, что и новый
король также не любилъ учрежденіе Лойолы,
объясняя свое отношеніе къ нему тѣмъ, что обо
всѣхъ прочихъ монашескихъ институтахъ онъ
имѣлъ вполнѣ ясное представленіе, тогда какъ онъ
нисколько не понималъ задачъ ордена Іисуса. Лишь
гораздо позднѣе оцѣнилъ онъ услуги, которыя
іезуиты могли оказать ему въ его упорной борьбѣ
за исключительное господство католицизма, а
пока ограничился тѣмъ, что приказалъ своему
знаменитому совѣтнику Вигліусу приготовить
докладную записку по поводу просьбы Рибаденейры
о допущеніи ордена. Всѣ бельгійцы, епископы
и приходскіе священники, горожане и дворяне,
возстали противъ этой просьбы. Говорили, что
іезуиты опасны для бѣлаго духовенства и для
всѣхъ монашескихъ орденовъ, и что они стре-
мятся къ свѣтской власти. Самъ Вигліусъ вы-
ступилъ ихъ жестокимъ противникомъ и такимъ
образомъ при Филиппѣ II оказался, въ концѣ
концовъ, только одинъ человѣкъ, поддерживаю-
щій іезуитовъ: этотъ человѣкъ былъ донъ Го-
мецъ де Фигвероа, герцогъ Феріа, родной братъ
котораго былъ членомъ ордена и самъ онъ имѣлъ
сильное вліяніе на умъ короля [1]. Благодаря
этому-то вліянію и только съ большимъ трудомъ
іезуиты добились наконецъ хоть нѣкотораго успѣха,
получивъ въ 1556 году отъ Филиппа разрѣшеніе
поселиться въ Нидерландахъ, но съ условіемъ не

---

[1] Orlandino, l. XVI., с. 28, стр. 5 и 6 и слѣд.

пріобрѣтать тамъ никакого недвижимаго имуще-
ства, иначе какъ съ разрѣшенія Штатовъ раз-
личныхъ провинцій: ибо пріобрѣтенія имуществъ,
не подлежавшихъ потомъ отчужденію,—къ ка-
кимъ принадлежатъ имущества духовенства,—
допускались тамъ лишь съ очень строгими огра-
ниченіями.

Къ счастью для іезуитовъ правительница Ни-
дерландовъ, Маргарита Австрійская, была совер-
шенно предана іезуитамъ, изъ среды которыхъ
она даже выбрала своего духовника. Не смотря
на всѣ протесты Штатовъ Фландріи и Брабанта,
она дала ордену возможность основать двѣ кол-
легіи, въ Лувенѣ и въ Антверпенѣ (1562). Въ по-
слѣднемъ іезуиты утвердились, исключительно
благодаря испанскимъ негоціантамъ, людямъ по
большей части богатымъ, и не взирая на явную
антипатію мѣстнаго населенія [1]. Въ Лувенѣ Ле
Февръ добился огромнаго успѣха въ самомъ
университетѣ, многіе молодые ученые котораго
бросили свое дѣло и отдались новому обществу.
Этому примѣру послѣдовали многія женщины,
особенно изъ высшаго круга. Сами іезуиты раз-
сказываютъ, что еженедѣльно по нѣсколько дамъ,
къ большому скандалу всего общества, заставляли
отцовъ іезуитовъ бичевать ихъ [2]. Правда, въ
это-же время въ западной Фрисландіи народъ

---

[1] MS. *Historia complectens initium ac progressum
Societatis Jesu in civitate Antverpiense* (Bruxelles, Bibl. de
Bourgogne). Это—оффиціальная исторія іезуитовъ.

[2] *Imago,* l. VI, стр. 736.

такъ преслѣдовалъ нѣкоего іезуита, отца Андрея, намѣревавшагося открыть тамъ школу, что онъ долженъ былъ бѣжать въ Брюссель; но вскорѣ затѣмъ знаменитый совѣтникъ Гопперъ устроилъ его въ Лиллѣ, въ кармелитскомъ монастырѣ [1].

Въ 1584 году, при значительно измѣнившихся обстоятельствахъ, король отмѣнилъ всѣ тѣ серьезныя ограниченія, которымъ до тѣхъ поръ были установлены для іезуитовъ въ Бельгіи.

Въ Португаліи іезуиты встрѣтили съ самаго начала гораздо болѣе радушный пріемъ, чѣмъ въ Испаніи. Король Іоаннъ III радостно привѣтствовалъ обоихъ эмиссаровъ Игнатія, Франциска Ксавье и Симона Родригеца, которыхъ, какъ мы это уже видѣли, онъ давно призывалъ къ себѣ. Въ 1541 году Ксавье отправился въ португальскія владѣнія въ восточную Индію для того, чтобы тамъ обращать язычниковъ индусовъ. Онъ объѣздилъ большую часть далекой Азіи и окончилъ свои дни въ Китаѣ, пріобрѣтя славу святого и апостола. Напротивъ, Родригецъ, принадлежа самъ къ португальскому дворянству, остался на своей родинѣ и вскорѣ завоевалъ тамъ высокое положеніе и громадное вліяніе на народъ, на знать и главнымъ образомъ на королевскую фамилію. Благодаря ему, значительное количество священниковъ и выдающихся молодыхъ людей изъ высшихъ слоевъ общества поступили въ орденъ Іисуса. Ихъ религіозное рвеніе, строгая жизнь, неустанная дѣятельность и благотвори-

---

[1] *Litterae Hopperi ad Viglium,* стр. 70, 74.

тельность, привлекли на ихъ сторону всеобщія симпатіи. Они преобразовали весь дворъ короля и стали духовниками всѣхъ принцевъ и грандовъ. Въ 1543 году Родригецъ былъ назначенъ воспитателемъ домъ-Себастіана, наслѣдника престола, а вскорѣ затѣмъ Іоаннъ III въ награду за услуги, оказанныя іезуитами, построилъ. для нихъ въ Лиссабонѣ домъ и большую коллегію въ Коимбрѣ, насчитывавшую въ короткій срокъ до 200 членовъ ихъ общины. Они умѣли захватить въ свои руки все высшее образованіе въ странѣ и съ этого момента сдѣлались истинными господами всего королевства, а когда на престолъ вступилъ ихъ ученикъ, домъ-Себастіанъ, (1557), то вся страна была отдана въ ихъ распоряженіе. Извѣстно, какъ воспользовались они этимъ, доведя короля до его трагической кончины и уничтоживъ затѣмъ на шестьдесятъ лѣтъ независимость Португаліи. Но, тѣмъ не менѣе, іезуиты любили приводить португальскихъ королей какъ примѣръ, достойный подражанія со стороны другихъ монарховъ, какъ слѣдуетъ относится къ ихъ Обществу.

Францiя была для нихъ не менѣе важна, чѣмъ Португалія и Испанія. Уже въ 1540 г. Игнатій послалъ нѣсколько молодыхъ членовъ своего ордена въ Парижъ для полученія тамъ образованія; но на первыхъ порахъ онъ избѣгалъ чтобы они чѣмъ бы то ни было отличались отъ всѣхъ прочихъ студентовъ [1]. Широкое и обду-

---

[1] *Imago primi saeculi,* стр. 211.

манное образованіе казалось разсудительному Лойолѣ необходимымъ условіемъ для успѣха его учрежденія. При Генрихѣ II, фанатическомъ противникѣ всякихъ перемѣнъ въ церкви, правительственныя сферы оказались для іезуитовъ довольно благопріятными. Епископъ клермонтскій, Вильгельмъ Дю-Пра, сынъ знаменитаго канцлера Франциска I, взялъ ихъ подъ свое покровительство. Онъ помѣстилъ отцовъ въ своемъ отелѣ Клермонъ въ Парижѣ, перешедшимъ позднѣе въ собственность ордена, и сдѣлалъ ихъ наслѣдниками довольно крупной доли своего имущества. Еще болѣе могущественнаго покровителя нашли они въ лицѣ Карла Гиза, архіепископа Реймскаго, кардинала Лотарингскаго. Лично увлеченный Игнатіемъ, съ которымъ онъ познакомился въ въ Римѣ, Гизъ убѣдилъ Генриха II разрѣшить іезуитамъ основать въ Парижѣ коллегію (въ январѣ 1550 г.) и выстроить домъ для дѣйствительныхъ членовъ ордена (професовъ).

Однако король не былъ еще абсолютнымъ владыкою Франціи, а іезуиты встрѣтили въ ней опасныхъ враговъ: парламентъ, всегда противившійся захватамъ духовенства, дю-Беллэ, епископъ парижскій, и даже сама Сорбонна оказывали имъ упорное противодѣйствіе. Самые незначительные кюрэ и тѣ присоединились къ свѣтскимъ противникамъ общины. Общее настроеніе умовъ во Франціи XVI вѣка мало соотвѣтствовало характеру учрежденія Лойолы и всѣ не безъ основанія боялись, что вліяніе и могущество новаго

ордена подвергнетъ большимъ опасностямъ прі-
обрѣтенныя уже права и спокойствіе королев-
ства. Поэтому парламентъ отказался зарегистри-
ровать королевскій эдиктъ, разрѣшавшій іезуи-
тамъ пребываніе въ Парижѣ, а извѣстно, что
подобный актъ со стороны парламента счи-
тался необходимымъ для того, чтобы королев-
скіе приказы получили силу закона. Парла-
ментъ заявилъ, что считаетъ орденъ Іисуса
вреднымъ для короля, для государства и для
установленной іерархіи. Само собой разумѣется,
что друзья общины не остались къ этому равно-
душны. Въ 1552 г. король отправилъ парламенту
повелѣніе (lettres de jussion), на основаніи кото-
раго парламентъ обязанъ былъ зарегистрировать,
безъ дальнѣйшихъ проволочекъ, всѣ его указы
(lettres patentes) 1550 года. Но все было на-
прасно: парламентъ сталъ всячески оттягивать
дѣло и, наконецъ, обратился къ суду парижскаго
университета. Онъ отлично зналъ, что дѣлалъ.
Въ 1554 г. Сорбонна формально осудила орденъ
Іисуса, объявивъ его «опаснымъ по отношенію
къ религіи, могущимъ нарушить миръ церкви,
поколебать монашество и вообще‧болѣе способ-
нымъ къ разрушенію, чѣмъ къ созиданію». По-
слѣдующія событія и дѣятельность общества ока-
зались, такимъ образомъ, вполнѣ правильно оцѣ-
ненными и очерченными Сорбонной.

Едва это опредѣленіе парижскаго универси-
тета стало извѣстно, какъ противъ іезуитовъ под-
нялась цѣлая буря. Парижскіе священники и

проповѣдники стали громить ихъ съ кафедръ и въ своихъ поученіяхъ. Враждебныя плакаты были расклеены по всѣмъ переулкамъ Сорбонны; изъ дома въ домъ переносились пасквили, довольно обиднаго для нихъ содержанія. Кромѣ того, парижскій епископъ Евстахій дю-Беллэ запретилъ имъ отправлять богослуженіе въ своей епархіи и многіе другіе французскіе епископы послѣдовали его примѣру, будучи заражены въ это время реформаторскими идеями. Такимъ образомъ Франція была почти совершенно заперта для іезуитовъ.

Реакція въ ихъ пользу наступила гораздо позднѣе, послѣ многихъ перемѣнъ, тогда, когда оффиціальные защитники католицизма поняли не только во Франціи, но и во всей Европѣ, что іезуиты были самыми цѣнными противниками протестантовъ. Тогда-то, въ 1561 г., церковный совѣтъ въ Пуасси высказался за допущеніе ихъ въ королевство, но съ условіемъ, что они будутъ подчиняться епархіальнымъ епископамъ, откажутся отъ своихъ исключительныхъ привилегій и даже отъ своего имени, которое, по мнѣнію этого собора, не могло быть терпимо по своему крайнему высокомѣрію. Іезуиты сперва протестовали, еще разъ повторивъ свою смѣшную претензію на то, что истиннымъ основателемъ ордена былъ самъ Іисусъ Христосъ и что, поэтому, они имѣютъ право называться Его именемъ; но мало по малу они сдѣлали видъ, что подчиняются всѣмъ предъявленнымъ имъ требованіямъ, твердо рѣшившись

однако при первой же возможности освободиться
отъ всякихъ ограниченій. Не даромъ же враги
упрекали ихъ въ томъ, что они проскользнули
во Францію совсѣмъ незамѣтно и что они при-
творились совсѣмъ ничтожными для того, чтобы
тѣмъ выше подняться потомъ [1]. Здѣсь, какъ и
повсюду, они прежде всего постарались овладѣть
высшимъ образованіемъ, громадное значеніе ко-
тораго для формированія духа цѣлой націи они
всегда признавали со свойственною имъ прони-
цательностью.

Гораздо болѣе благопріятное . поле для ихъ
дѣятельности представляла Германія [2]. Здѣсь дѣло
шло о борьбѣ съ лютеранской ересью на мѣстѣ са-
маго ея происхожденія, поэтому ничуть не уди-
вительно, что они сразу же, съ первыхъ же го-
довъ своего тамъ существованія, принялись, со-
гласно съ цѣлью своего ордена, за свое дѣло съ
обычнымъ жаромъ и энергію. Въ энцикликѣ отъ
25 іюля 1553 г. [3], Лойола говоритъ: «Наше обще-
ство должно отдаться съ особеннымъ самоотвер-
женіемъ и по мѣрѣ своихъ слабыхъ силъ на слу-
женіе Германіи, подвергающейся, благодаря злу,
причиняемому ересью, величайшимъ опасностямъ».

Немедленно по утвержденіи ордена Павломъ III
одинъ изъ наиболѣе значительныхъ и дѣятель-

---

[1] Ant. Arnauld, Paris, 1595, *Plaidoyer contre les Jé-
suites*, стр. 8.

[2] S. Sugenheim, *Geschichte der Jesuiten in Deutsch-
land* (Francfurt a. M. 1847) I, стр. 5 и слѣд.

[3] Genelli (франц. пер.), II, 262.

ныхъ его членовъ, Ле-Февръ, отправился въ Германію, а спустя нѣсколько мѣсяцевъ за нимъ туда же послѣдовали Бобадилла и Ле-Же. На первыхъ порахъ Ле-Февръ встрѣтилъ бо́льше сочувствія у испанскихъ и итальянскихъ грандовъ, окружавшихъ Карла V, чѣмъ у самихъ нѣмцевъ; но его товарищи, по отъѣздѣ его въ Испанію, оказались счастливѣе. Бобади лла съумѣлъ приблизиться къ герцогу Вильгельму IV Баварскому, а Ле-Же, поддержавъ южныхъ нѣмецкихъ епископовъ въ ихъ борьбѣ противъ ереси, завоевалъ милостивое расположеніе брата Карла V, Фердинанда I, короля Римскаго, Богемскаго и Венгерскаго. Послѣдній былъ такъ обвороженъ Ле-Же, что хотѣлъ его назначить епископомъ тріестскимъ, но въ это дѣло вмѣшался самъ Лойола и воспрепятствовалъ подобному возвышенію одного изъ своихъ подчиненныхъ, не желая, какъ онъ объяснялъ, чтобы община лишалась этимъ путемъ своихъ лучшихъ и способнѣйшихъ членовъ, и, съ другой стороны, указывая на то, что обѣтъ бѣдности и абсолютнаго повиновенія не могъ совмѣщаться съ высокими духовными должностями. Однако истинные мотивы Лойолы въ данномъ случаѣ были совсѣмъ не тѣ, которые онъ считалъ благоразумнымъ выставить на видъ. Онъ опасался, чтобъ іезуиты, достигшіе положенія епископовъ, не уклонились отъ своихъ обязанностей, какъ членовъ общины, и не отказались бы отъ слѣпого повиновенія генералу, бывшему основою и фундаментомъ всего ордена.

Къ тому же всякій іезуитъ долженъ былъ возлагать всю свою надежду на отличія и вознагражденія, на вліяніе и власть, только на свое общество, а поэтому онъ не долженъ былъ принимать извнѣ никакихъ такихъ должностей, которыя не могли быть раздаваемы самимъ орденомъ. Іезуитъ долженъ былъ думать только объ интересахъ своего общества; только для него одного онъ долженъ былъ работать и отдавать всѣ свои физическія и духовныя силы. Такимъ образомъ Ле-Же былъ вынужденъ отказаться отъ епископата. Болѣе того: Лойола воспользовался этимъ случаемъ, чтобы разъ навсегда запретить своимъ ученикамъ занимать высокія духовныя должности; онъ издалъ декретъ, объявлявшій смертельнымъ грѣхомъ для всякаго іезуита принятіе имъ епископской или другой важной церковной должности.

Изъ всего вышесказаннаго видно на сколько орденъ Іисуса былъ послѣдовательнѣе, энергичнѣе во всѣхъ своихъ дѣйствіяхъ, чѣмъ всѣ остальные монашескіе ордена, въ томъ числѣ и нищенствующіе, которые всегда съ удовольствіемъ смотрѣли на возвышеніе своихъ членовъ до степеней епископа, архіепископа и даже кардинала.

Однако, въ тѣхъ случаяхъ, когда нужно было угодить монарху, покровительствовавшему іезуитамъ и отъ котораго послѣдніе ожидали еще новыхъ благъ, лойолиты нисколько не смущались нарушать свои собственные законы. Уже самъ Игнатій разрѣшилъ въ 1554 г., по просьбѣ короля португальскаго, іезуиту Іоанну Нуньецу сдѣлаться патріархомъ Эфіопіи, давъ ему въ помощники еще двухъ іезуитовъ, принявшихъ саны епископовъ.

Первая попытка папы воспользоваться іезуитами съ политической цѣлью, посылка ихъ въ Ирландію, не удалась, зато вторая оказалась гораздо счастливѣе и послужила образцемъ для многихъ поелѣдующихъ дѣйствій Общества, всегда направленныхъ противъ всего, что такъ или иначе угрожало непримиримой политикѣ римской куріи.

Въ 1548 году, Карлъ V заставилъ имперскій сеймъ въ Аугсбургѣ принять такъ называемый *Interim* долженствовавшій соблюдаться во всей Германіи и послужить основаніемъ для примиренія между протестантами и католиками. Этотъ регламентъ былъ составленъ въ католическомъ духѣ и содержалъ лишь весьма назначительные уступки новаторамъ, но и этихъ уступокъ было уже довольно, чтобы сдѣлать *Интеримъ* ненавистнымъ для папы и римскаго двора. Поэтому Римъ задумалъ помѣшать интериму стать общимъ закономъ Имперіи. Бобадиллѣ было поручено убѣдить могущественнѣйшаго изъ имперскихъ католическихъ князей, герцога Вильгельма IV Баварскаго, воспротивиться признанію интерима его нѣмецкими единовѣрцами. Бобадилла такъ ловко взялся за дѣло, что не только Вильгельмъ воспротивился введенію Интерима въ своей собственной странѣ, но и всѣ остальные католическіе князья принудили императора ограничить это мѣропріятіе, установивъ обязательность

его только для протестантовъ. Карлъ вымѣ-
стилъ свою неудачу на ея виновникѣ: подъ пред-
логомъ, что Бобадилла позволилъ себѣ какія-то
неуважительныя слова объ императорѣ, онъ былъ
изгнанъ изъ Германіи.

Святой престолъ и орденъ Іисуса вполнѣ
достигли своей цѣли: они унизили императора
и помѣшали успѣху его Интерима. Послѣ этого
Лойолѣ ничего не стоило отречься отъ своего
послушнаго орудія Бобадиллы для того, чтобъ
не раздражить еще болѣе Карла V, ужъ и безъ
того нерасположеннаго къ іезуитамъ. Бобадиллѣ
былъ запрещенъ входъ въ римскій домъ профе-
совъ ордена, но само собою разумѣлось, что по
истеченіи нѣкотораго времени, какъ только Карлъ
забудетъ объ этомъ дѣлѣ, Бобадилла возвратитъ
себѣ прежнее положеніе.

Въ эпоху, о которой мы говоримъ, даже Фер-
динандъ I ничего не хотѣлъ или не могъ сдѣ-
лать для друга своего Ле-Же и для всего ордена
вообще. Только тремя годами позднѣе, т. е. въ
1551 г., онъ рѣшился впустить ихъ въ свои го-
сударства. Сперва онъ просилъ дать ему только
Ле-Же и еще одного іезуита въ помощь послѣд-
нему [1], но Игнатій, весьма довольный возмож-
ностью для своего ордена утвердиться въ Ав-
стріи, превысилъ желанія короля, приславъ въ Вѣну
одиннадцать своихъ учениковъ. Король помѣ-
стилъ ихъ въ покинутомъ доминиканскомъ мо-

---

[1] *Lasso au roi Ferdinand*, 18 янв. 1551.; Druffel,
Briefe und Acten zur Geschichte des XVI jahrh., I, 560.

настырѣ. Первымъ ректоромъ этой первой коло-
ніи іезуитовъ на нѣмецкой почвѣ былъ Ле-Же,
но онъ умеръ уже въ слѣдующемъ 1552 году и
его преемникомъ былъ назначенъ гораздо болѣе
способный и вліятельный Канизіусъ.

Петръ Канизіусъ родился въ Нимвегенѣ, въ
Голландіи, въ 1520 году. Онъ учился въ весьма
ортодоксальномъ Кельнскомъ университетѣ, гдѣ
и выдѣлился своими замѣчательными способно-
стями и чрезвычайной эрудиціей. Въ Майнцѣ онъ
случайно познакомился съ Ле-Февромъ, а черезъ
него и со всѣмъ орденомъ іезуитовъ. Очень ум-
ный и честолюбивый молодой человѣкъ сразу
понялъ какой широкій путь открывало ему это
общество для того, чтобы играть выдающуюся
роль, пользоваться большимъ вліяніемъ и вообще
достичь почестей, и онъ вступилъ въ это обще-
ство. Ле-Февръ воспользовался имъ прежде всего
для того, чтобы помѣшать кельнскому архіепи-
скопу-электору Герману фонъ Виду ввести ре-
формацію въ самомъ Кельнѣ. И дѣйствительно
своимъ искуснымъ и энергичнымъ образомъ
дѣйствія Канизіусъ много способствовалъ удер-
жанію такого значительнаго города, какъ Кельнъ,
въ лонѣ католической церкви. Позднѣе Игнатій,
слѣдуя своему правилу никогда не оставлять
своихъ подчиненныхъ слишкомъ долго въ одномъ
и томъ же мѣстѣ, а въ особенности на родинѣ,
послалъ его профессоромъ риторики въ іезуит-
скую коллегію въ Мессину. Черезъ годъ онъ
снова перемѣстилъ его въ Германію, въ баварскій

университетъ въ Ингольштадтѣ. Именно здѣсь новаторы публично излагали нѣкоторыя изъ своихъ доктринъ; Канизіусъ сталъ ихъ опровергать и началъ курсъ теологіи согласно съ римскимъ ученіемъ. Назначенный въ 1550 году ректоромъ Ингольштадтскаго университета, онъ сдѣлалъ изъ него одинъ изъ главныхъ оплотовъ католицизма въ Германіи. Такая энергичная и богатая успѣхами дѣятельность обратила на Канизіуса вниманіе римскаго короля. Фердинандъ попросилъ папу прислать ему этого человѣка и тридцати-двухлѣтній іезуитъ сдѣлался ректоромъ Вѣнской коллегіи и вскорѣ—довѣреннымъ лицомъ короля. Живѣйшимъ желаніемъ Фердинанда, какъ впрочемъ и всякаго здравомыслящаго и искренняго католика, было дожить до всеобщей реформы той распущенности нравовъ духовенства, въ которой весь міръ усматривалъ главную причину слабости, грозившей даже самому существованію церкви. Кинизіусъ вполнѣ соотвѣтствовалъ этой настоятельнѣйшей потребности католицизма, этому завѣтнѣйшему желанію Фердинанда I. Онъ учредилъ семинарію, въ которой пятьдесятъ юношей воспитывались и подготовлялись къ занятію должностей приходскихъ священниковъ.

Лойола былъ чрезвычайно доволенъ проникновеніемъ, наконецъ, іезуитовъ въ Германію и утвержденіемъ ихъ въ самой столицѣ австрійскаго монарха. Будущій императоръ, Фердинандъ снова обратился къ нему, какъ онъ уже сдѣлалъ это разъ ради Ле-Же, съ просьбой согласиться на

назначеніе Канизіуса епископомъ, но не второ-
степеннаго какого нибудь города, а самой Вѣны.
Однако Игнатій и не подумалъ исполнить жела-
ніе короля и сдѣлать независимымъ отъ генерала
одного изъ значительнѣйшихъ членовъ общины,
но онъ старательно позолотилъ горькую пилюлю.
Прежде всего онъ разрѣшилъ Канизіусу испол-
нить другое желаніе короля, а именно, написать
католическій катехизисъ. Нужно замѣтить, что
въ это время католическое ученіе само еще не
было прочно выработано; приходскіе священники,
мало образованные и мало заботящіеся о духов-
ныхъ нуждахъ своей паствы, сами почти его не
знали и еще менѣе преподавали его; наконецъ,
нападки лютеранъ и цвингліанъ глубоко пошат-
нули убѣжденія католиковъ. Никто не могъ точно
опредѣлить во что слѣдовало вѣрить и что—счи-
тать ересью. Поэтому-то хорошій катехизисъ, крат-
кій, сжатый и вмѣстѣ съ тѣмъ полный, хорошо
написанный и понятный среднему человѣку, былъ
совершенно необходимъ для всей той части
общества, которая еще оставалась католическою.
Канизіусъ написалъ его въ очень короткій срокъ
и притомъ съ такимъ искусствомъ, что его ма-
ленькая книжечка сдѣлалась образцовымъ про-
изведеніемъ для всѣхъ его единовѣрцевъ, была
переведена на всѣ языки и выдержала болѣе 500
изданій. Фердинандъ и всѣ добрые католики
Германіи были этимъ весьма довольны и стали
еще болѣе цѣнить орденъ іезуитовъ.

Въ то-же время Лойола разрѣшилъ Канизіусу

взять въ свои руки управленіе вѣнскою епархіею (но безъ епископскаго чина) на *одинъ* годъ, который, на дѣлѣ, однако, продлился сорокъ восемь мѣсяцевъ, но вмѣстѣ съ тѣмъ онъ ограничилъ это разрѣшеніе условіемъ, что всѣ доходы епископіи не будутъ предоставлены ни самому Канизіусу, ни ордену Іисуса. Это было поистинѣ мастерскимъ шагомъ! Такимъ пріемомъ Лойола доказывалъ римскому королю, что, изъ желанія угодить ему, онъ даже нарушилъ, поскольку это было возможно, самые законы ордена и что послѣдній всегда къ услугамъ государей и князей. Какая разница между іезуитами и упрямымъ упорствомъ и несговорчивостью лютеранскихъ подданныхъ короля!

Но вмѣстѣ съ тѣмъ Лойола выказывалъ грандіозное самоотреченіе и убѣждалъ Фердинанда въ томъ, что только слава Господа и величіе церкви руководили дѣйствіями общины и что она добровольно отрекалась отъ всякаго богатства и отъ всякихъ личныхъ выгодъ. И такъ, въ нихъ были найдены тѣ столь желанные священнослужители, которые вмѣсто того, чтобы искать одного только богатства, наслажденій и возможно удобной и покойной жизни, обрекали себя на бѣдность, умерщвленіе плоти, на безплатное обученіе и церковное служеніе, на ревностную проповѣдь и на преобразованіе всего духовенства и народа!

Этотъ тонко расчитанный актъ безкорыстія немедленно принесъ тѣ плоды, которые, вѣроятно,

Игнатій и ждалъ отъ него. Уже въ маѣ 1554 года Фердинандъ подарилъ іезуитамъ для ихъ коллегіи кармелитскій монастырь въ Вѣнѣ и обезпечилъ имъ ежегодный доходъ въ 1.200 золотыхъ флориновъ; два мѣсяца спустя онъ далъ имъ возможность основать въ столицѣ семинарію. Вѣрные своему всегдашнему принцину привлекать къ себѣ главнымъ образомъ аристократію, они вскорѣ устроили въ столицѣ институтъ для знатныхъ юношей. Болѣе того: въ 1558 году Фердинандъ предоставилъ имъ на вѣчныя времена двѣ кафедры теологіи въ вѣнскомъ университетѣ, главнымъ образомъ для того, чтобы бороться съ протестантскимъ духомъ, господствовавшемъ тогда въ этомъ университетѣ. Такимъ-то образомъ они все больше и больше завладѣвали всѣми ступенями общественнаго преподаванія и ихъ вліяніе становилось очень значительнымъ. Нерѣдко Фердинандъ пользовался ими, какъ повѣренными въ своихъ дѣлахъ и какъ посредниками, при переговорахъ съ папой [1].

Такъ разростался орденъ въ столицѣ Австріи. Въ 1555 году передъ нимъ открылась возможность проникнуть и въ другую резиденцію Фердинанда, въ столицу большого и цвѣтущаго Богемскаго королевства,—Прагу. Король ни въ чемъ не отказывалъ своему дорогому другу Канизіусу. Если бы чехи могли предвидѣть тѣ страшныя бѣдствія, которыя навлекутся на нихъ семьдесятъ лѣтъ спустя отцами іезуитами,—они возстали-бы

---

[1] Orlandino, кн. XIV, гл. 11, стр. 450.

какъ одинъ человѣкъ для того, чтобы уничто-
жить всѣхъ до послѣдняго человѣка членовъ
новаго ордена, которые проникли въ 1555 г. въ
Прагу въ небольшемъ числѣ и весьма смиренно.
Но даже и въ ту эпоху проникновеніе іезуитовъ
въ этотъ городъ походило на вызовъ, брошен-
ный громадному большинству богемскаго населе-
нія, съ восторгомъ принявшаго ученія Гусса и
Лютера. И дѣйствительно, едва только вступили
они во владѣніе монастыремъ св. Климента, по-
дареннымъ имъ королемъ, какъ немедленно от-
крыли въ немъ школу для дѣтей не только ка-
толическихъ родителей, но и еретическихъ: они
даже не пытались скрывать того, что ихъ цѣль
была пропаганда! Имъ стали угрожать, нападать
на нихъ и на ихъ воспитанниковъ, но Канизіусъ,
сильный помощью Фердинанда, упорно противо-
стоялъ бурѣ и въ концѣ концовъ восторжество-
валъ надъ ней. Нѣсколько лѣтъ спустя эта школа
была преобразована въ академію философскихъ
и богословскихъ наукъ и обезпечена ежегоднымъ
доходомъ въ сто тридцать тысячъ богемскихъ
грошей.

Во всѣ времена іезуиты умѣли ловко пользо-
ваться господствующимъ настроеніемъ данной
эпохи—*ratione habita temporum.* Они завоевали
благорасположеніе короля, позднѣе императора
Фердинанда I, увѣряя его, что пришли къ нему
исключительно для того, чтобы реформировать
духовенство и религіозное воспитаніе. Подъ этимъ
же предлогомъ они проникли и во второе изъ

большихъ католическихъ государствъ Германіи, въ Баварію [1]. Герцогъ Вильгельмъ IV былъ ихъ преданнымъ другомъ; сынъ и наслѣдникъ его, Альбертъ V, управлявшій страною съ 1550 г., склоняясь больше къ миру и къ терпимости, сперва не обнаруживалъ къ нимъ большой благосклонности. Онъ отказался выстроить имъ коллегію, не смотря на обѣщаніе, данное его отцомъ, и на вмѣшательство своего зятя, короля Фердинанда. Канизій сталъ терпѣливо выжидать болѣе благопріятнаго момента, который и не замедлилъ наступить. Альбертъ V принималъ горячее участіе при заключеніи Аугсбургскаго религіознаго мира между католиками и протестантами Германіи (1555). Сторонники Рима поставили это ему въ серьезный упрекъ и стали громко обвинять его въ ереси. Такое подозрѣніе глубоко огорчило Альберта, желавшаго оставаться вѣрнымъ религіи своихъ отцовъ, не смотря на то, что онъ осуждалъ весьма многое въ церковныхъ порядкахъ и лелѣялъ мысль о примиреніи съ протестантами.—«Какъ можете вы нагляднѣе доказать всему міру вашу преданность къ католицизму, сказалъ ему Канизій, какъ не выказавъ благожелательство по отношенію къ ордену Іисуса, любимому и почитаемому всѣми истинно вѣрующими?» Мало по малу герцогъ далъ себя убѣдить и въ томъ же году, въ декабрѣ 1555 г., основалъ въ Ингольштадтѣ іезуитскую коллегію, обезпечивъ ей доходъ въ 800 золотыхъ

---

[1] Von Lang, *Geschichte der Jesuiten in Baiern* (Nuremberg, 1819).

флориновъ и извѣстное количество податей, упла-
чиваемыхъ натурою. Конечно не случайно эта
первая въ Баваріи іезуитская колонія основалась
какъ разъ въ университетскомъ городѣ. Немного
времени спустя, Канизій, имѣвшій какую то осо-
бую способность расширять всякое дѣло, настолько
завоевалъ себѣ симпатіи государя, хотя и испол-
неннаго благихъ намѣреній, но слабаго, что тотъ
устроилъ вторую коллегію въ самомъ Мюнхенѣ,
ректоромъ которой сдѣлался родной братъ Кани-
зія—Теодоръ.

Вскорѣ Канизій получилъ блестящее возна-
гражденіе за всѣ свои успѣхи и старанія на пользу
ордена: генералъ назначилъ его первымъ *провин-
ціаломъ* (т. е. главою) новой провинціи «Верх-
ней Германіи», заключавшей въ себѣ, кромѣ ав-
стрійскихъ и венгерскихъ земель Габсбурговъ,
еще Баварію, Швабію и Швейцарію.

Лойола, усердно добиваясь водворенія членовъ
своей общины въ главнѣйшихъ государствахъ
Европы, въ то-же время отнюдь не забывалъ той
страны, къ которой нѣкогда направлялись его
первыя религіозныя стремленія,—то есть Пале-
стины. Въ 1554 онъ получилъ отъ папы Юлія
III разрѣшеніе основать въ святой землѣ три
коллегіи. Тогда онъ сталъ хлопотать объ осуще-
ствленіе этого плана и съ этой цѣлью обращался
даже къ королю Филиппу II, но смерть застигла
его раньше, чѣмъ онъ добился намѣченной цѣли.

Зоркій глазъ Лойолы никогда не терялъ изъ
виду своихъ учениковъ и подчиненныхъ и строго

наблюдалъ за ними повсюду, даже въ самыхъ отдаленныхъ мѣстахъ. Нельзя не удивляться, глядя на этого человѣка, сперва безвѣстнаго солдата, потомъ аскета и проповѣдника, внезапно ставшаго вождемъ сотенъ членовъ своего ордена, однимъ взглядомъ охватывающаго весь христіанскій міръ, взвѣшивающаго интересы государей и народовъ и относящагося, какъ къ ровнымъ, къ могущественнѣйшимъ монархамъ. Подъ его управленіемъ община шла, постоянно развиваясь, быстрымъ и вѣрнымъ шагомъ, всегда двигаясь впередъ и никогда—назадъ.

Инструкціи, которыми онъ снабжалъ отцовъ іезуитовъ относительно того, какъ они должны были устроивать свои дѣла и въ особенности какъ обращаться съ князьями и вліятельными лицами [1], могутъ быть поистинѣ названы сокровищами практической психологіи, свидѣтельствующими о замѣчательнѣйшихъ дипломатическихъ способностяхъ этого человѣка, постоянно говорившемъ о своей полнѣйшей непричастности ко всѣмъ человѣческимъ расчетамъ и соображеніямъ.

Его поведеніе въ дѣлѣ Франциска де-Борджіа, знатнѣйшаго и важнѣйшаго члена его общины, которому императоръ предложилъ кардинальскую шапку, можетъ служить образцомъ тонкой и осторожной политики. Игнатій не хотѣлъ ни обижать императора, который и безъ того ужъ не особенно сочувствовалъ всѣмъ его проектамъ, ни сдѣлать непріятность Борджіа, которому ор-

---

[1] Genelli (фр. пер.), I, 360.

денъ былъ обязанъ своимъ существованіемъ въ Испаніи, ни нарушать правило, запрещавшее іезуитамъ принимать важныя церковныя должности. Поэтому онъ началъ съ того, что не отказалъ сразу императору, а только далъ ему понять, что со стороны самого Франциска Борджія возможенъ отказъ. Послѣднему-же онъ предоставилъ полную свободу выбора, ясно выразивъ, однако, какое изъ двухъ рѣшеній будетъ ему, Лойолѣ, пріятнѣе. Всѣ эти хитросплетенія окружались самыми изысканными выраженіями благочестія и набожности [1]. Естественно, что св. Францискъ отказался отъ чести, предложенной императоромъ, но вмѣстѣ съ тѣмъ никто не могъ быть въ обидѣ на Лойолу. Развѣ могъ бы просто наивный человѣкъ, движимый исключительно только религіознымъ рвеніемъ и любовью къ Богу, дѣйствовать съ такими предосторожностями, намеками и замысловатыми комбинаціями?

Многіе изъ членовъ Общества хотѣли распространить правило объ исключеніи іезуитовъ изъ всѣхъ высшихъ церковныхъ должностей до духовниковъ царствующихъ государей включительно, но Лойола воспротивился этому, желая сохранить за общиной столь могущественное средство вліянія на сильныхъ міра сего. Напротивъ того, онъ даже принудилъ отца Гонзалеца принять званіе духовника короля Португальскаго. Въ письмѣ (отъ 1 февраля 1553) къ португальскому

---

[1] Письма Поланко и Лойолы къ Франциску Борджіа отъ 1-го іюня 1552;—Menchaca, I, 15—16.

провинціалу іезуитовъ, Лойола прямо говоритъ,
что члены общины имѣютъ много другихъ задачъ,
а не однѣ только заботы о чистотѣ собствен-
ной совѣсти; что они обязаны дѣлать все воз-
можное и пренебрегать моральными опасностями
и людскими упреками «ради всеобщаго блага и
славы Господней[1]».

И дѣйствительно, отношенія ордена съ папой
и со всѣми монархами становились день ото дня
все дружественнѣе. Уже бывали случаи, что къ
нему обращались, какъ къ посреднику, желая
выхлопотать какую нибудь льготу у апостоличе-
скаго престола.

Такимъ-то образомъ Игнатій придалъ ордену
Іисуса тотъ специфическій характеръ и назначеніе,
которымъ онъ навсегда оставался вѣренъ: іезуиты
воплощали и всѣми своими силами покровитель-
ствовали ортодоксальныя, нетерпимыя и исклю-
чительныя тенденціи римской церкви. Уже въ
1543 г. Лойола обратился къ папѣ съ прось-
бой снова возстановить одинъ изъ каноновъ Ла-
теранскаго собора 1215 года, запрещавшій вра-
чамъ посѣщать тяжко больныхъ, если послѣдніе
предварительно не исповѣдались. Противодѣй-
ствіе врачей подорвало на этотъ разъ усилія
Лойолы, но уже изъ этого примѣра ясно видно
направленіе, взятое орденомъ съ самыхъ первыхъ
моментовъ своего существованія. Зато онъ вполнѣ
добился своего въ дѣлѣ несравненно болѣе важ-

---

[1] Письмо къ отцу Мирону; Menchaca, III, 27.

номъ, въ вопросѣ объ Интеримѣ, о которомъ мы
уже упоминали выше.

Управленіе Лойолы, торжествующее во внѣш-
нихъ дѣлахъ, во внутреннихъ было строго и
послѣдовательно. Онъ запретилъ своимъ подчи-
неннымъ чтеніе соблазнительныхъ сочиненій Эраз-
ма, религіозный индифферентизмъ котораго,
облеченный въ остроумную и изящную форму,
могъ бы ослабить узкое и фанатическое рве-
ніе его учениковъ. Когда же вопросъ шелъ
о его собственномъ авторитетѣ, а вмѣстѣ съ нимъ
и о строжайшей дисциплинѣ ордена, тогда Лой-
ола не допускалъ ни жалости, ни какихъ бы то
ни было личныхъ соображеній.

Никто, кромѣ самого генерала, не пользовался
въ орденѣ большей властью чѣмъ Лайнецъ; никто
не проникся такъ глубоко духомъ новаго учреж-
денія, какъ именно онъ; никто не принималъ
столь дѣятельнаго участія въ составленіи перво-
начальнаго устава общества. Онъ былъ возведенъ
на постъ провинціала Италіи. Опираясь на то
исключительное положеніе, которое онъ занялъ
среди всѣхъ своихъ сотоварищей, онъ осмѣлился
стать открыто противъ самого генерала. Онъ
жаловался на то, что Игнатій призывалъ въ Римъ
всѣхъ самыхъ выдающихся іезуитовъ, лишая та-
кимъ образомъ итальянскія коллежи всѣхъ ихъ
лучшихъ преподавателей. Несмотря на усилія,
употребленныя генераломъ для того, чтобы успо-
коить на этотъ счетъ Лайнеца, послѣдній про-
должалъ оказывать сопротивленіе. Тогда Лойола,

не желавшій терпѣть ни малѣйшаго нарушенія того слѣпого повиновенія, которое онъ положилъ въ основу своей общины, хотя бы этотъ ущербъ наносился однимъ изъ его стариннѣйшихъ товарищей и наиболѣе выдающимся изъ всѣхъ его подчиненныхъ, — написалъ Лайнецу слѣдующее: «Обдумайте ваше поведеніе и увѣдомьте меня сознали-ли вы свой грѣхъ; если вы сочтете себя виновнымъ, напишите мнѣ какому наказанію желаете вы подвергнуться во искупленіе своей слабости».

Лайнецъ понялъ, что зашелъ слишкомъ далеко и что необходимо подчиниться власти генерала. Поэтому онъ поспѣшилъ вернуть себѣ милостивое расположеніе своего начальника, выказавъ преувеличенную и раболѣпную готовность подчиниться. Онъ отвѣчалъ изъ Флоренціи:

«Отецъ! Получивъ письмо вашего преподобія, я долго и со слезами молился Богу и пришелъ къ слѣдующему рѣшенію, которое я принялъ и въ которомъ непоколебимо пребываю со слезами на глазахъ. Я желаю и заклинаю васъ благоутробіемъ Господа нашего Іисуса Христа, чтобы ваше преподобіе, въ руки котораго я всецѣло предаю себя, лишило меня,—въ наказаніе за мои грѣхи и для укрощенія моихъ необузданныхъ страстей, источника первыхъ,—власти, права проповѣди и преподаванія и вмѣсто всѣхъ книгъ оставило бы мнѣ только мой требникъ. Повелите мнѣ, затѣмъ, явиться въ Римъ въ образѣ нищаго и поручите мнѣ самую низкую должность въ домѣ нашемъ, или, если я не гожусь и для этого, повелите мнѣ провести остатокъ моихъ дней въ преподаваніи первоначальныхъ правилъ грамматики, безъ всякой ко мнѣ жалости и взирая на меня только, какъ на грязь міра сего».

Очевидно, что все это было со стороны Лайнеца чистѣйшимъ лицемѣріемъ. Онъ отлично зналъ, что его, всѣми признаваемаго какъ будущаго преемника Лойолы, никогда не подвергнутъ тѣмъ униженіямъ, которыя онъ просилъ. Этимъ подобострастнымъ подчиненіемъ онъ хотѣлъ только умѣрить гнѣвъ генерала, который могъ-бы, если-бъ захотѣлъ, навсегда закрыть для него открывавшуюся передъ нимъ блестящую карьеру. Онъ вполнѣ достигъ своей цѣли. Лойола вмѣсто всякаго наказанія повелѣлъ ему составить краткій учебникъ богословія и, памятуя его прежнія жалобы, далъ ему въ помощники двухъ особенно достойныхъ іезуитовъ: отцовъ Віоле и Мартина Олаве.

Такимъ образомъ Лайнецъ былъ униженъ, какъ нѣкогда Бобадилла. Та-же судьба, но въ еще болѣе жестокой формѣ, постигла и Симона Родригеца, тоже одного изъ преданнѣйшихъ учениковъ Лойолы и основателя ордена въ Португаліи. Мы уже видѣли, что онъ совершенно подчинилъ это королевство ордену Іисуса. Гордясь этимъ успѣхомъ, уже двѣнадцать лѣтъ управляя по своему усмотрѣнію не только умомъ короля Іоанна III, но и всѣмъ его дворомъ, провинціалъ Португаліи, Родригецъ, наслаждался своимъ, почти независимымъ отъ генерала, положеніемъ. Постепенно онъ ввелъ среди подвѣдомственныхъ ему іезуитовъ обычаи и правила, противные лойоловымъ, что въ особенности сказывалось въ чрезвычайной склонности къ аскетизму, рѣшительно противорѣчившему всему духу ордена, и кромѣ того онъ воспротивился введенію правилъ Игнатія въ домахъ професовъ и въ училищахъ португальскихъ іезуитовъ. Генералъ искуссно приготовился къ борьбѣ, становившейся неизбѣжной. Прежде всего онъ командировалъ нѣсколько вліятельныхъ іезуитовъ къ королю, дабы помѣшать ему принять сторону Родригеца, что ему и удалось, вѣроятно, съ помощью папы. Обезпечивъ себя такимъ образомъ со стороны монарха, Лойола послалъ Родригецу приказаніе уступить мѣсто португальскаго провинціала отцу Мирону (1552). Родригецъ, видя себя покинутымъ дворомъ, сначала повиновался этому приказанію, но вскорѣ перемѣнилъ свой образъ дѣйствія и наотрѣзъ отказался уѣхать изъ Португаліи, какъ того требовалъ Лойола. Онъ удалился въ іезуитское училище въ Коимбрѣ и сталъ открыто возмущать его противъ генерала. Кромѣ того, онъ сдѣлалъ отчаянную попытку снова вернуть себѣ расположеніе королевскаго двора, дискредитировавъ личность и учрежденія Лойолы. Такимъ образомъ противодѣйствіе Родригеца все больше принимало характеръ настоящаго возмущенія. Но король остался вѣренъ своему другу Лойолѣ, поддерживаемому къ тому-же его святѣйшествомъ, и Родригецъ, подвергшись гнѣву своего генерала, своего короля и папы, долженъ былъ окончательно смириться. Онъ былъ сосланъ въ Санъ-Фелицъ, маленькій португальскій городокъ, и осужденъ исключительно на заботы о спасеніи своей души, лишенный полномочій и какихъ либо обязанностей по ордену;—конечно, это было худшее изъ всѣхъ возможныхъ наказаній для такого какъ онъ честолюбиваго и дѣятельнаго человѣка. Позднѣе онъ былъ вызванъ въ Римъ и подчиненъ непосредственному надзору генерала [1].

Несомнѣнно, что униженіе такого вліятельнаго члена было большимъ торжествомъ для Лойолы; но онъ отнюдь не былъ усыпленъ своимъ успѣхомъ; напротивъ того, это событіе дало ему поводъ еще больше усилить строгость его обращенія съ подчиненными. Онъ обратился ко всѣмъ начальникамъ съ окружнымъ посланіемъ, приказывая имъ немедленно отослать къ нему всѣхъ тѣхъ, кто обнаруживаетъ упрямство. Отцу-же Мирону, новому португальскому провинціалу, онъ отдѣльно писалъ слѣдующее: «Если между вашими подчиненными есть непокорные, отказывающіеся повиноваться не только вамъ, но и другимъ начальникамъ или мѣстнымъ ректорамъ, тамъ находящимся, то приказываю вамъ во имя святого послушанія—и вы отвѣтите мнѣ за неисполненіе этого моего приказанія,—немедленно изгнать ихъ изъ ордена или-же прислать ихъ въ Римъ». Онъ

---

[1] См. переписку у Лойолы *Genelli* (нѣмец. изд.), стр. 283.

открыто одобрилъ отца Кесселя, который въ нѣ-
сколько пріемовъ исключилъ въ Кельнѣ изъ об-
щины по девяти или десяти человѣкъ за-разъ.
Для избѣжанія повторенія фактовъ, подобныхъ
тому, который произошелъ съ Родригецомъ, Лой-
ола хотѣлъ вернуть Франциска Ксавье изъ Азіи,
гдѣ онъ прославился своими духовными завоева-
ніями, но письмо генерала не застало уже этаго
святаго человѣка въ живыхъ. Лойола былъ не-
ограниченъ въ своей власти, даже тираниченъ,
какъ всякій, впрочемъ, человѣкъ творческихъ
способностей и очень большой энергіи. Онъ су-
мѣлъ навсегда внѣдрить въ свое общество прин-
цины авторитета и абсолютнаго повиновенія.

Однако Лойола считалъ необходимымъ, не
смотря на все свое всемогущество, подавать при-
мѣръ смиренія. Каждый день онъ проводилъ нѣ-
сколько времени на кухнѣ общины, исполняя
самыя низшія обязанности въ ней. Больше того:
въ 1550 году онъ созвалъ всѣхъ значительнѣй-
шихъ отцовъ-іезуитовъ для того, чтобы сложить
съ себя званіе генерала. Само собою разумѣется,
что всѣ воспротивились осуществленію этого
намѣренія [1]. Ошибемся-ли мы, если скажемъ, что
всѣ эти мѣры должны были служить блистатель-
ными примѣрами скромности и покорности и
вмѣстѣ съ тѣмъ дѣлать болѣе сноснымъ и въ тоже

---

[1]. Ribadeneira. AA. SS. 8. Jul., VII, стр. 710, 745 и
слѣд.—Рибаденейра вступилъ въ орденъ со времени его
окончательнаго утвержденія въ 1540 г.—См. Genelli (нѣм.
изд.), стр. 272—275.

время болѣе обязательнымъ, абсолютное владычество генерала? Сейчасъ мы разберемъ истинныя намѣренія Лойолы въ отношеніи пользованія властью.

Лойола счелъ должнымъ навсегда порвать свои семейныя связи. Начиная съ 1540 года, онъ ни разу ничего не писалъ своимъ роднымъ и оставался глухъ ко всѣмъ ихъ обращеніямъ [1]. Онъ жилъ только для своего ордена и въ своемъ орденѣ; никакія другія узы, ни крови, ни благодарности, не имѣли въ его глазахъ ни малѣйшей цѣны.

Общество Іисуса сдѣлалось подъ его управленіемъ столь могущественно, что попробовало даже освободиться изъ подъ папской власти.

23 мая 1555 года на престолъ апостола Петра вступилъ кардиналъ Караффа, принявшій имя Павла IV. Это былъ тотъ самый Караффа, основатель ордена Театинцевъ, который, семнадцать лѣтъ тому назадъ, обратился изъ покровителя Лойолы въ его противника и съ недоброжелательствомъ взиралъ на быстрые и замѣчательные успѣхи іезуитовъ, соперничавшихъ съ его орденомъ. Но кромѣ этихъ у него были еще и другія причины антипатіи къ іезуитамъ. Онъ любилъ инквизицію, а съ нею вмѣстѣ и инквизиторовъ, т. е. доминиканцевъ; послѣдніе-же завидовали и негодовали на іезуитовъ, грозившихъ совсѣмъ разрушить ихъ первенствующее положе-

---

1. См. письмо Лойолы къ герцогу де-Нахара отъ 26 авг. 1552; Ribadeneira, стр. 769 и слѣд.

ніе въ церкви. Къ тому же Джованни Пьетро Караффа всегда ненавидѣлъ испанцевъ, которымъ немедленно по своемъ вступленіи на папскій престолъ объявилъ войну, а мы знаемъ, что Игнатій и почти всѣ основатели его ордена были родомъ изъ Испаніи. Наконецъ въ самомъ Римѣ была порядочная группа людей, враждовавшихъ съ іезуитами, преслѣдовавшихъ ихъ и даже клеветавшихъ на нихъ. Тщетно Лойола, едва узнавъ объ избраніи своего прежняго противника, поспѣшилъ въ папскій дворецъ, чтобы засвидѣтельствовать свою покорность и повиновеніе,—Павелъ IV всетаки не забылъ прошлаго и рѣшилъ уравнять іезуитовъ съ другими монашескими орденами, но упорное сопротивленіе Лойолы заставило его отказаться отъ этого намѣренія.

Еще и по другому вопросу папа былъ побѣжденъ орденомъ, ставшимъ всемогущимъ всего черезъ пятнадцать лѣтъ послѣ своего основанія. Павелъ IV попробовалъ, было, лишить іезуитовъ одного изъ ихъ лучшихъ членовъ—Лайнеца, предложивъ ему кардинальскую шапку, и такъ какъ Лойола и Лайнецъ одинаково воспротивились этому, то папа захотѣлъ прежде всего отдѣлить интересы послѣдняго отъ интересовъ ордена. Съ этою цѣлью онъ приказалъ Лайнецу жить въ Ватиканѣ и заняться вопросомъ о реформѣ *Датеріи,* т. е. того учрежденія, на обязанности котораго лежали раздача церковныхъ бенефицій и выдача разрѣшеній на браки. Сначала Лайнецъ принялся за эти важныя и сложныя дѣла съ обычною своею энергіею, но вскорѣ, понявъ, что онъ близокъ къ тому, чтобы почти совсѣмъ отстать отъ своей общины, бѣжалъ изъ Ватикана и вернулся въ домъ професовъ. Съ трудомъ вѣрится, а между тѣмъ это несомнѣнно, что іезуиты въ это время были уже на столько вліятельны, что даже такой страстный и деспотическій человѣкъ, какъ Павелъ IV, не рѣшился прибѣгнуть къ своей власти для того, чтобы сломить непокорность Лайнеца.

Такимъ образомъ ясно, что антипатія папы нисколько не должна была безпокоить Лойолу въ послѣдніе годы его жизни. Настоящія непріятности для него исходили изъ нѣдръ самого его ордена. Онъ, нѣкогда дѣлавшій видъ, что намѣренъ сложить съ себя высокую власть и отречься отъ своего блистательнаго положенія, былъ чрезвычайно возмущенъ, когда узналъ, что его ассистенты, видя какъ быстро падаютъ его силы, нашли нужнымъ, осенью 1554 г., назначить ему викарія. Тѣмъ не менѣе совѣтники, хотя и съ чрезвычайною мягкостью, но настояли на своемъ и въ концѣ концовъ Лойола вынужденъ былъ разрѣшить професамъ, находившимся въ то время въ Римѣ, избрать ему викарія. 1 ноября 1554 года отецъ Жеромъ Надаль былъ назначенъ помощникомъ генерала, но прошелъ годъ и Лойола, вполнѣ оправившись отъ физическихъ недуговъ, освободился отъ стѣснявшаго его товарища, отправивъ послѣдняго въ Испанію. Лишь незадолго до своей смерти, чувствуя, что

дни его сочтены, онъ передалъ управленіе орден-
скими дѣлами тремъ лицамъ: Іоанну Поланко,
Кристофору Мадриду и Жерому Надалю.

Тогда, освободившись отъ всѣхъ мірскихъ
заботъ, вѣчно дѣятельный умъ Игнатія отдался
цѣликомъ религіознымъ помысламъ. Онъ устано-
вилъ для своего ордена сорокачасовые молитвы,
усвоенныя затѣмъ всею церковью и совершаемыя
ею еще и теперь въ послѣдніе три дня масля-
ницы. Кромѣ того онъ продиктовалъ цѣлый
рядъ сентенцій относительно своей любимой до-
бродѣтели—послушанія. Онъ умеръ шестидесяти
пяти лѣтъ отъ роду, 30-го іюля 1556 года. Ге-
нералъ ордена исполнялъ до конца свои обя-
занности начальника съ такими-же твердостью и
смѣлостью, съ какими нѣкогда сражался моло-
дой офицеръ на окопахъ Пампелуны.

На смертномъ одрѣ онъ могъ утѣшаться
мыслью, что дѣло его не только вполнѣ уда-
лось, но даже превзошло всѣ его ожиданія.
Ни одинъ изъ основателей религіозныхъ орде-
новъ не видалъ при своей жизни подобнаго
процвѣтанія своего учрежденія. Во всѣхъ четы-
рехъ странахъ свѣта шла безпрерывная дѣятель-
ность повсюду разсѣянныхъ его учениковъ. Его
орденъ насчитывалъ уже тысячу членовъ,—среди
которыхъ, однако было всего только тридцать
пять професовъ или дѣйствительныхъ членовъ,—
и сто общежитій, расположенныхъ въ тринад-
цати провинціяхъ [1]. Однако, если онъ разсчиты-

---

[1] Sacchino, lib. I, cap. 2 ss. p. 1.

валъ воздѣйствовать главнымъ образомъ на ере-
тиковъ, то онъ сильно заблуждался. Орденъ
Iисуса процвѣталъ главнымъ образомъ въ юж-
ныхъ странахъ, ортодоксія которыхъ и безъ того
была лишь весьма слабо пошатнута, т. е. въ Испаніи,
въ Португаліи и въ Италіи,—въ той части ла-
тинскаго міра, которая почти цѣликомъ осталась
вѣрной католицизму. Исходнымъ пунктомъ ор-
дена слѣдуетъ считать пиренейскій полуостровъ и
потому здѣсь у него была наиболѣе прочная
основа: онъ насчитывалъ не менѣе семи испан-
скихъ и португальскихъ провинцій. Первая изъ
нихъ была Кастилія съ десятью коллегіями, по-
томъ шли Арагонъ и Андалузія съ пятью кол-
легіями въ каждой. Четвертая провинція заклю-
чала Португалію со множествомъ коллегій, обще-
житій для членовъ посвященныхъ (професовъ)
и для послушниковъ (новиціатовъ). Въ Бразиліи,
этой американской Португаліи, имѣлось 32 члена
ордена, а въ восточной Индіи съ Китаемъ и
Японіей насчитывалось ихъ до сотни. Отцы, по-
сланные въ Индію, попытались также основать
колонію. въ Ефіопіи, куда былъ посланъ даже
отдѣльный провинціалъ съ нѣкоторыми подчи-
ненными. Всѣ эти иберійскія провинціи подчиня-
лись дону Франциску де-Борджіа, какъ комисару
генерала. Этимъ Лойола хотѣлъ обезпечить испан-
скимъ іезуитамъ, пренебрегаемымъ и нелюбимымъ
императоромъ, драгоцѣнную опору въ лицѣ одного
изъ членовъ высшей испанской аристократіи.—
Центръ ордена находился въ Италіи, въ Римѣ;

тамъ были римская и германская коллегіи; къ нему-же причислялась итальянская провинція, въ составъ которой входила центральная и южная Италія, управляемыя непосредственно самимъ генераломъ. Сицилійская провинція была устроена вице-королемъ Іоанномъ де-ла-Вега, бывшимъ нѣкогда имперскимъ посланникомъ въ Римѣ и здѣсь познакомившимся съ хитрымъ Игнатіемъ, который сумѣлъ привлечь его къ своему обществу [1]; однако число коллегій въ Сициліи все еще не было особенно велико. Провинція собственно Италіи, т. е. сѣверной Италіи, насчитывала десять коллегій. Но за то по ту сторону Альпъ и Пиренеевъ результаты дѣятельности Лойолы были гораздо менѣе удачны. Національный духъ, стремленія къ реформамъ и протестантизмъ сильно препятствовали тамъ успѣхамъ ордена. Французская провинція имѣла всего только одну коллегію, существованіе которой даже не было формально признано. Верхнегерманская провинція обнимала собой Вѣну, Прагу, Ингольштадтъ, Мюнхенъ, но іезуиты проникли во всѣ эти города, не столько благодаря народнымъ симпатіямъ, сколько расположенію отдѣльныхъ государей. Что же касается нижне - германской провинціи, которая включала въ себя также и Нидерланды, то объ ней можно сказать, что при Лойолѣ она существовала только на бумагѣ.

Изъ этого бѣглаго обзора уже ясно видно

---

[1] Orlandino, кн. VII, гл. I, стр. 198.

на сколько преувеличены мнѣнія тѣхъ истори-
ковъ, которые эпоху подавленія протестантизма
начинаютъ съ момента основанія ордена Іисуса.
Маколей по этому поводу говоритъ слѣдующее [1]:
«Папство, угрожаемое въ XVI вѣкѣ новыми
опасностями, болѣе страшными, чѣмъ всѣ преды-
дущія, было спасено новымъ религіознымъ орде-
номъ, охваченнымъ большимъ энтузіазмомъ и
организованнымъ съ замѣчательнымъ искус-
ствомъ. Когда іезуиты явились на помощь пап-
ству, оно находилось въ чрезвычайно критичес-
комъ положеніи; но съ этого момента судьба
борьбы измѣнилась. Протестантизмъ, въ теченіи
двадцати пяти лѣтъ побѣждавшій всякое сопро-
тивленіе, былъ задержанъ въ своемъ дальнѣй-
шемъ развитіи и съ удивительной быстротой
оттѣсненъ отъ подножія Альпъ къ берегамъ
Балтики».—Авторъ этихъ строкъ слишкомъ вы-
соко цѣнилъ вліяніе ордена Лойолы. Въ Италіи
и въ Испаніи ересь была задушена не іезуитами,
а римской и испанской инквизиціей, т. е. па-
пой, Филиппомъ II испанскимъ и доминиканцами.
Въ теченіи всего XVI вѣка во Франціи іезуиты
не пользовались значительнымъ вліяніемъ; что
же касается Германіи, то мы уже видѣли съ
какимъ трудомъ и какъ медленно они достигали
тамъ успѣха своего дѣла.

На самомъ дѣлѣ протестантизмъ не переста-
валъ развиваться въ Германіи, Польшѣ, Венгріи,
въ Скандинавскихъ государствахъ, въ Нидерлан-

---

[1] *Исторія Англіи,* гл. 6-я.

дахъ, Англіи и Шотландіи и послѣ 1540 года, такъ же какъ и до него. Онъ былъ вынужденъ остановиться и отступить не передъ іезуитами, а передъ Тріентскимъ соборомъ, о которомъ рѣчь будетъ ниже, въ особенности же передъ мечемъ Филиппа II, передъ усиліями всего австрійскаго дома и польскихъ Вазъ. Во всемъ этомъ, правда, іезуиты сыграли свою роль; она была значительна, но все же второстепенна.

———

ГЛАВА ЧЕТВЕРТАЯ.

Уставы ордена iезуитовъ.

Кто былъ дѣйствительнымъ составителемъ уставовъ общества iезуитовъ?—*Духовныя упражненiя.*—Значенiе этихъ *упражненiй.* — Ихъ содержанiе и общее направленiе. — Интересъ и дѣйствительность *упражненiй.*—Онѣ предписываютъ полное подчиненiе римской церкви и рабскiй страхъ передъ Богомъ.—Характеръ, приданный св. Игнатiемъ своему ордену.—Исключительная важность, приписываемая Лойолой принципу абсолютнаго повиновенiя.—Повиновенiе составляетъ главную обязанность iезуита; почему Лойола такъ сильно напиралъ на это правило?—Начальникъ можетъ заставить своего подчиненнаго совершить преступленiе.—Слѣдствiя, вытекающiя изъ принципа абсолютнаго повиновенiя.—Цѣломудрiе.—Притворная бѣдность.—Она, въ сущности, является у нихъ только другой стороной абсолютной зависимости низшихъ отъ высшихъ.—Указанiя относительно прiятной внѣшности.—Правила для прiема послушниковъ (новицiатовъ); обращенiе съ ними.—Свѣтскiе коадъюторы.—Схоластики и ихъ занятiя.—Духовные коадъюторы. — Посвященные (професы) трехъ обѣтовъ.—Посвященные четырехъ обѣтовъ.—Ректоръ, старшiй и провинцiалъ.—Провинцiальная конгрегацiя.—Генералъ; его неограниченная власть.—Строжайшiй надзоръ всей общины за генераломъ.—Основные принципы организацiи ордена: повиновенiе и шпiонство.—Уничтоженiе личной воли.—Единообразiе мысли во всемъ орденѣ.—Дѣйствительность подобной организацiи.—Iезуиты и преподаванiе.—Взгляды Лойолы на преподаванiе.—Важное значенiе преподаванiя iезуитовъ.—Чрезвычайное благорасположенiе папъ къ iезуитамъ.—Влiянiе, оказанное ими на Трiентскiй соборъ.

Для того, чтобы понять быстрые успѣхи ордена, созданнаго Лойолой, и объяснить ту значительную роль, которую онъ игралъ въ католическомъ мiрѣ въ теченiи слишкомъ трехъ столѣтiй, нужно прежде всего разсмотрѣть его уставы,—главный источникъ его успѣховъ, достоинствъ и неудачъ.

Несомнѣнно, что основанiе всѣхъ этихъ установленiй было положено самимъ Игнатiемъ, который и представилъ ихъ на разсмотрѣнiе первой общей конгрегацiи въ 1540 году. Однако, въ этомъ видѣ они представляли лишь зародыши всѣхъ будущихъ правилъ ордена, столь ясно и подробно разработанныхъ. Лойола работалъ надъ ними безпрерывно въ теченiи всего своего десятилѣтняго управленiя и въ 1550 году снова созвалъ отцовъ-професовъ, дабы они еще разъ обсудили его проэктъ, уже гораздо болѣе полно разработанный. Наконецъ въ 1553 г. [1] выработавшiеся такимъ образомъ уставы были сообщены къ свѣдѣнiю всѣхъ членовъ общины. Но несомнѣнно также и то, что по смерти Лойолы они были пересмотрѣны и дополнены Лайнецомъ въ 1558 г. [2]. Говорили, но безъ достаточнаго основанiя, что ихъ настоящимъ авторомъ не былъ Лойола; при этомъ исходили изъ мысли, что Лойола былъ фанатикъ, ясновидѣцъ, аскетъ, не способный ни на какiе хитрые разсчеты, не понимавшiй тай-

---

[1] Orlandino, *Hist. Societ. Jesu,* l. III, cap. 5, l. X, cap. 8 ss.; m. I. Стр. 78—306.

[2] Ibid. l. X, cap. 51, т. I. стр. 317; и его продолжатель Sacchini, l. II, cap. 49. т. II. стр. 48 (Antverp. 1620). Эта исторiя имѣетъ офицiальное значенiе.

никовъ человѣческаго сердца и не знавшій той тонкой политики, болѣе ловкой, чѣмъ честной, какая сквозитъ въ каждой строкѣ іезуитскаго кодекса. Однако переписка св. Игнатія показываетъ его въ совсѣмъ другомъ свѣтѣ: въ ней мы наталкиваемся уже на тѣ самые принципы, которые внесены имъ въ уставы. Лайнецъ, котораго часто представляютъ какъ истиннаго законодателя ордена находился съ 1540 по 1556 г. далеко не въ близкихъ отношеніяхъ съ генераломъ, чтобы можно было приписать ему сколько нибудь крупную роль въ редактированіи кодекса, оконченнаго, приблизительно, въ 1556 году. Измѣненіями, внесенными Лайнецомъ въ 1558 въ уставъ, а въ особенности своими *деклараціями*, онъ придалъ ему еще болѣе политическую окраску въ ущербъ религіозной; въ сущности же онъ только подчеркнулъ тѣ тенденціи, которыя Лойола не только уже высказалъ, но даже отчасти и осуществилъ.

Прежде чѣмъ разбирать самыя уставы, остановимся на мгновенье на знаменитыхъ *Духовныхъ Упражненіяхъ*, уже совершенно безспорно принадлежащихъ лично Игнатію. Къ тому же онѣ предназначались для подготовленія умовъ послушниковъ (новиціатовъ) при вступленіи въ орденъ и для наставленія мірянъ въ видахъ обращенія ихъ въ послушныя орудія іезуитовъ.

Однако нельзя сказать, что *Духовныя Упражненія* были совсѣмъ самостоятельнымъ сочиненіемъ, какъ то утверждалось іезуитами, предполагавшими, что имъ вполнѣ удалось уничтожить тотъ образецъ, которому Лойола подражалъ и развилъ. Это—*Exercitatorium spirituale* Гарчіи де-Циснероса, манресскаго бенедиктинскаго аббата, очевидно очень склоннаго къ мистицизму. Проведя цѣлый годъ въ Манресѣ въ созерцаніи и духовныхъ упражненіяхъ, Лойола близко познакомился съ этою книгою, изучилъ ее и дѣйствовалъ согласно съ нею. Къ счастью, аббатъ Биркеръ нашелъ въ знаменитой монтекассинской бенедиктинской библіотекѣ единственный уцѣлѣвшій еще экземпляръ этого сочиненія и издалъ его въ Ратисбоннѣ въ 1856 г.

Тѣмъ не менѣе, Лойола всетаки остается единственнымъ, хотя и не безъ примѣси плагіата, авторомъ *Духовныхъ Упражненій* ордена Іисуса, и это произведеніе, не лишенное литературныхъ достоинствъ, свидѣтельствуетъ о немъ, какъ объ очень талантливомъ психологѣ. Позднѣе, орденъ счелъ нужнымъ прибавить къ этимъ Упражненіямъ *Directorium,* предназначавшійся спеціально для тѣхъ отцовъ, которые руководили упражненіями, ибо позднѣйшіе іезуиты нашли, что книга Лойолы предоставляла слишкомъ много свободы и самостоятельности. Но такъ какъ этотъ *Directorium* былъ окончательно проредактированъ только пятой общей конгрегаціей ордена, въ 1593—94 гг., то мы совершили бы хронологическую ошибку, если бы присоединили его къ *Духовнымъ Упражненіямъ* въ томъ видѣ, въ какомъ онѣ вышли изъ подъ пера

Лойолы. Онъ работалъ надъ ними [1], со времени своего пребыванія въ Манресѣ въ 1522 г. до 1548 г., когда эта книга была одобрена папой Павломъ III (31 іюля). Это было первое сочиненіе, изданное орденомъ.

Духовныя Упражненія не только вѣрно отражаютъ духъ, воодушевлявшій основателя ордена Іисуса, но кромѣ того онѣ имѣютъ и сами по себѣ весьма большое значеніе. Всѣ іезуиты единогласно утверждаютъ, что, въ особенности въ первыя времена, большинство членовъ ордена было обязано именно *Духовнымъ Упражненіямъ* своимъ присоединеніемъ къ нему и самъ орденъ своимъ основаніемъ и развитіемъ [2]. Очевидно, что простое чтеніе этого сочиненія не достаточно само по себѣ, чтобы произвести глубокое впечатлѣніе, которое должно быть результатомъ совмѣстнаго обсужденія, направляемаго искусными и опытными руководителями [3]. Къ тому же и сами противники іезуитовъ вполнѣ признали и оцѣнили значеніе *Упражненій*. Не смотря на папское одобреніе, нѣсколько испанскихъ доминиканцевъ нападали на это сочиненіе даже еще въ 1553 году, утверждая, что оно слишкомъ смѣло, нескромно и мѣстами, по своему содержанію, даже совсѣмъ еретично [4]. Однако

---

[1] Orlandino, l. I. cap. 23, стр. 8.
[2] *Institutum Soc. Jesu* (Прага, 1757) p. II, 433. Act. SS. Jul. VII, 434.
[3] Genëlli, 129.
[4] Orlandino, lib. XIII, cap. 33. p. 426 s.

вмѣстѣ съ усиленіемъ могущества iезуитовъ рас-
пространялся также и авторитетъ *Упражненій*
Лойолы, и несомнѣнно, что сотни тысячъ като-
ликовъ, свѣтскихъ и духовныхъ, въ теченіи
трехъ столѣтій подчинялись ихъ вліянію.

Духовныя Упражненія разсуждаютъ о со-
вѣсти, благоговѣйномъ размышленіи, о созерцаніи
и молитвѣ; онѣ должны продолжаться прибли-
зительно мѣсяцъ или четыре недѣли, изъ кото-
рыхъ первая предназначается для общей про-
вѣрки своей совѣсти; вторая—для созерцанія
царства Господа Iисуса Христа; третья—на благо-
говѣйныя помыслы по поводу страстей Господ-
нихъ; четвертая—на размышленія относительно
воскресенія Iисуса,—и все это перемѣшивается
и сопровождается молитвами, правилами добраго
и благочестиваго поведенія и психологическими
наставленіями. Однако исполняющій всѣ эти
упражненія не обязанъ строго придерживаться
такого распорядка и раздѣленія недѣль. Къ тому
же эти упражненія должны идти только
подъ руководствомъ учителя или наставни-
ка, который, однако, поступитъ дурно, если
сразу объяснитъ всю систему своему ученику;
напротивъ, онъ сдѣлаетъ лучше, предоставивъ
ему возможно широкое поле для личной иниціа-
тивы и размышленія; нужно также заботиться
о томъ, чтобы ученикъ находился въ полнѣй-
шемъ невѣдѣніи относительно размышленій зав-
трашняго дня, для того чтобы самая неизвѣст-

ность внушала ему живѣйшіе желаніе быть на-
конецъ посвященнымъ въ нихъ.

Учителямъ предписывается обращать строгое
вниманіе на возрастъ воспитанника, на его способ-
ности, достоинства и недостатки, на его обществен-
ное положеніе и сообразно съ этимъ направлять
упражненія, либо облегчая и упрощая ихъ, либо
усугубляя и осложняя.

Вся эта книга представляетъ настоящій перлъ
психологической наблюдательности; она написана
съ рѣдкимъ по глубинѣ знаніемъ человѣческаго
сердца, съ замѣчательнымъ умѣньемъ извлекать
пользу изъ всѣхъ завѣтнѣйшихъ стремленій, изъ
всѣхъ тончайшихъ и грубѣйшихъ возбужденій
чувства. На служеніе задачамъ автора берутся
какъ возвышеннѣйшія идеи, такъ и животные
инстинкты человѣка, которые всѣ помогаютъ при-
вести вѣрующихъ къ полному уничтоженію души
передъ Господомъ, т. е. передъ католической
церковью. «Человѣкъ созданъ для того, чтобы
восхвалять Господа Бога и бояться Его, и за-
служить вѣчное спасеніе, служа Ему. Мы должны
быть вполнѣ равнодушны ко всѣмъ вещамъ, ко-
торыя созданы, и на столько, чтобы для насъ
было бы безразлично здоровье или болѣзнь, бо-
гатство или бѣдность, почести или презрѣніе,
долгая или короткая жизнь».

Ни одно изъ средствъ, способныхъ взволно-
вать и поработить душу ученика не упускается
изъ виду: внѣшнія средства, какъ, напримѣръ,
точное перечисленіе грѣховъ и частая ихъ испо-

вѣдь; возбужденія воображенія, доводящія до галлюцинацій; правильныя собесѣдованія со своей душой, совѣстью и съ Христомъ, съ Богоматерью и со святыми; обязательно испытываемая душевная боль, презрѣніе къ самому себѣ, сопровождаемое обильными слезами; горячія молитвы, приспособляемыя каждый разъ къ данному случаю; образъ распятаго Христа и изображеніе ада со всѣми его мученіями. Эти мученія расписаны по грѣхамъ и изображены съ чрезвычайной живостью, такъ сказать матеріализованы: «Прежде всего нужно въ воображеніи своемъ обозрѣть громадные адскіе огни и души, заключенныя въ горящія тѣла, какъ въ темницы. Во вторыхъ, опять таки въ воображеніи, нужно услышать исходящія изъ нихъ жалобы, крики, проклятія, восклицанія и богохульства противъ Христа и Его святыхъ. Въ третьихъ, мы должны почувствовать обоняніемъ воображенія зловоніе клоакъ и сѣры, гніенія и нечистотъ. Въ четвертыхъ, мы должны воображеніемъ вкусить горечь слезъ и угрызеній совѣсти. Наконецъ, мы должны почти ощутить огонь, пожирающій души осужденныхъ».

Говоря вообще, чувства не менѣе порабощены и возбуждены, чѣмъ мысль, сердце и воображеніе. Не забыты всѣ ужасы ночи, которые еще усиливаются внезапнымъ пробужденіемъ ровно въ полночь. Для того, чтобы омрачить воображеніе ученика, передъ нимъ раскладываются скелеты и кости; когда же, напротивъ того, желаютъ внушить ему идею о молодой и веселой жизни— ему даются свѣжіе и благоухающіе цвѣты.

Даже всѣ жесты строго регламентированы, сообразно съ понятіями автора объ ихъ пригодности возбуждать извѣстныя чувствованія и производить опредѣленные эффекты. Посты и самобичеванія должны были вполнѣ подчинить плоть религіознымъ стремленіямъ. Необходимо принимать такія положенія, которыя наиболѣе способны порождать извѣстное настроеніе души; нужно прятаться отъ дневного свѣта для того, чтобы не отвлекаться отъ внутренняго своего созерцанія, нужно вдыхать и выдыхать воздухъ съ опредѣленными промежутками, нужно тогда-то плакать, а тогда-то вздыхать, время отъ времени останавливаться и прерывать занятіе. Словомъ человѣкъ обращается, такъ сказать, въ автомата, доступнаго всѣмъ тѣмъ ощущеніямъ, которыя желательно въ немъ вызвать. Это, говоря прекрасными словами Мишле, «нравственность, превращенная въ механику», какой-то моральный гипнозъ.

Изъ сильнѣйшихъ побужденій ума и сердца Лойола сдѣлалъ почти матеріальныя впечатлѣнія. Это совершеннѣйшее идолопоклонство, но при томъ самое дѣйствительное изъ всѣхъ. Въ немъ искуссно примѣнены всѣ театральные эффекты и сценическія уловки.

Подговленный такимъ образомъ ученикъ долженъ затѣмъ въ теченіи всей второй недѣли представлять себѣ земного царя со всѣмъ окружающимъ его величіемъ, съ его требованіями, съ обя-

занностями, налагаемыми имъ на людей, съ награ-
дами и наказаніями, которыя онъ можетъ опре-
дѣлять, и, представивъ себѣ все это, ученикъ
долженъ себѣ сказать: «Какъ же не послѣдую
я за Христомъ, вѣчнымъ и всемірнымъ царемъ?
Развѣ всякій здравомыслящій человѣкъ не под-
чинится ему? Развѣ не отдастся онъ съ радостью
на служеніе такому божественному царю, принося
ему въ жертву всѣ инстинкты плоти, чувство-
ваній, самолюбія и любви къ міру?» Нужно пред-
ставить себѣ въ воображеніи вселенную со всѣми
ея городами и народами и, какъ центръ всего
этаго, хижину Дѣвы Маріи въ Назаретѣ. Въ
своихъ мысляхъ ученикъ долженъ прослѣдить
шагъ за шагомъ каждый моментъ жизни Христа
и Его матери, видѣть ихъ дѣянія, слышать ихъ
слова, *почувствовать ихъ сладостное благоу-
ханіе,* прикасаться и лобызать ихъ одежды и ихъ
утварь и никогда не думать ни о чемъ другомъ,
хотя бы даже божественномъ. Такимъ то образомъ
мы достигнемъ наконецъ того, что передъ нашими
глазами будетъ только два лагеря и два знамени:
съ одной стороны лагерь Люцифера близъ
Вавилона, въ которомъ на огненномъ тронѣ си-
дитъ Демонъ съ безобразнымъ лицомъ и ужас-
нымъ выраженіемъ его; съ другой же стороны
прекрасный лагерь Христовъ, близъ Іерусалима,
въ которомъ господствуетъ Спаситель; онъ зани-
маетъ скромное положеніе, но ликъ Его прекра-
сенъ и Онъ окруженъ всѣми святыми. И тогда
то мы, откинувъ всякія земныя желанія, будемъ

добиваться только того, чтобы быть допущенными
въ ряды этихъ святыхъ. Мы откажемся тогда
отъ желанія господствовать надъ всей землей, мы
безъ колебанія скорѣе пожертвуемъ самою на-
шей жизнью, чѣмъ рѣшимся согрѣшить противъ
божескихъ и человѣческихъ законовъ. Мы захо-
тимъ быть бѣдными, презираемыми и гонимыми,
какъ былъ бѣденъ, презираемъ и гонимъ самъ
Іисусъ Христосъ.

Въ теченіи всей третьей недѣли нужно также
настойчиво проникаться страстями Христовыми и
думать о томъ, что разъ Онъ такъ пострадалъ
за людей, то и люди должны жить и страдать
для Него. Въ четвертую-же недѣлю, предназна-
ченную для созерцанія Воскресенія Господня,
нужно стараться проникнуться вѣчной небесною
радостью Христа и его матери. Нужно посвятить
Богу всю нашу свободу, нашу память, разумъ
и волю. Нужно признать существованіе Бога во
всѣхъ Его твореніяхъ[1].—Въ этомъ замѣтенъ ми-
стицизмъ Лойолы съ его сильно выраженной
пантеистической окраской: все исходитъ отъ Бога,
все въ Богѣ, и все возвращается къ Богу.

Духовныя Упражненія, содержаніе которыхъ
мы изложили здѣсь въ бѣгломъ очеркѣ, пере-
сыпаны разнообразнѣйшими замѣчаніями и пред-
писаніями: правилами для раздачи милостыни,
для розысканія и нахожденія своего истиннаго
призванія на всю жизнь и для упорядоченія своего

---

[1] *Speculari Deum in singulis existentem creaturis suis* ; Exerc. spir., ed. Antverp. 1635, стр. 92.

собственнаго поведенія; правилами принятія пищи и для всякого рода молитвъ. Лойола даетъ и подробно развиваетъ пространные **совѣты**, какъ отличать внушенія сатанинскія отъ внушеній божественныхъ. Его мрачный мистицизмъ цѣликомъ сказывается въ этихъ указаніяхъ, напоминающихъ пережитую имъ въ Манресѣ личную внутренюю борьбу и смятеніе. Но какъ далеко ушелъ онъ самъ отъ того времени!—И такъ,—вся жизнь человѣческая является предметомъ предписаній и совѣтовъ Духовныхъ Упражненій.

И эта важная по своему значенію книга ничуть не скучна, какъ обыкновенно случается со всѣми нравоучительными сочиненіями; напротивъ того, она поражаетъ разнообразіемъ затрогиваемыхъ въ ней вопросовъ, а энергія и живость ея поддерживаютъ въ читателѣ неослабѣвающій интересъ. Даже самый холодный и скептическій человѣкъ, чувства и мысли котораго діаметрально противоположны тому, что высказывается авторомъ, никогда не соскучится, читая эту книгу, и легко пойметъ то громадное вліяніе, которое оказывали *Духовныя упражненія*, руководимыя и направляемыя искусными и не щепетильными отцами ордена, на тысячи благочестивыхъ и вѣрующихъ душъ. И дѣйствительно, эти упражненія всегда оставались лучшимъ средствомъ пополненія ордена фанатичными юношами, одаренными пылкимъ воображеніемъ и одушевляемыми энтузіазмомъ молодости; вмѣстѣ съ тѣмъ эти же упражненія открыли вѣрнѣйшій путь для пріобрѣ-

тенія среди духовенства и мірянъ сторонниковъ
іезуитовъ, ими же самими подготовленныхъ, без-
гранично преданныхъ и на все готовыхъ ради
общины, имѣвшей такія святыя цѣли и такія со-
вершенныя орудія для ихъ достиженія. Объ этомъ
ясно говорится во введеніи къ *Directorium*'у Духов-
ныхъ Упражненій: «Большинство изъ нашихъ, въ
особенности въ началѣ, почерпало въ Упражненіяхъ
духъ призванія, такъ что мы можемъ поистинѣ
сказать, что наше общество было основано и объе-
динено главнымъ образомъ этимъ средствомъ и
что оно, позднѣе, процвѣтало и увеличивалось,
благодаря ему-же». Еще раньше формальнаго
учрежденія ордена, Лойола горячо рекомендо-
валъ, во всѣхъ своихъ письмахъ къ друзьямъ,
продѣлать духовныя упражненія въ теченіи цѣ-
лаго мѣсяца.

Каково же послѣднее слово этого психоло-
гическаго подготовленія, обезличивавшаго чело-
вѣка, разрушавшаго его свободу, порождавшаго
въ немъ дикій и исключительный фанатизмъ и
болѣзненное благочестіе, зарождавшее въ немъ
нездоровый жаръ фанатизма? Это послѣднее слово
было полное подчиненіе римской церкви:

«Отказавшись отъ всякаго личнаго сужденія,
нашъ умъ долженъ быть всегда готовымъ къ пол-
ному и совершенному повиновенію Христовой не-
вѣстѣ, нашей святой матери, католической, апос-
толической и *іерархической* церкви». Каждую
недѣлю нужно исповѣдываться и принимать св.
причастіе. «Нужно прежде всего восхвалять всѣ

монашескіе ордена и предпочитать безбрачіе или дѣвство браку; слѣдуетъ соблюдать монашескіе обѣты цѣломудрія, бѣдности и послушанія; слѣдуетъ почитать реликвіи, установленный культъ и святыхъ, посѣщеніе церквей для полученія индульгенціи, паломничества, индульгенціи, юбилеи, свѣчи, которыя возжигаются въ храмахъ». Всѣ обряды и преданія церкви должны быть свято хранимы и соблюдаемы. «Если мы не находимъ въ священникахъ и другихъ церковныхъ начальникахъ желательной чистоты нравовъ, мы отнюдь не должны обвинять ихъ за это, ни въ частныхъ, ни въ публичныхъ рѣчахъ, ибо такими разговорами порождается больше вреда и позора, чѣмъ пользы, такъ какъ результатомъ ихъ будетъ злоба и презрѣніе народа противъ своихъ начальниковъ и пастырей». И такъ, ни малѣйшей критики духовенства; оно можетъ безнаказанно творить все, что ему вздумается, никто ничего не долженъ говорить, ибо прежде всего слѣдуетъ избѣгать скандала! Наконецъ, нужно относиться съ величайшимъ почтеніемъ не только къ тому святому ученію, которое носитъ названіе положительнаго ученія (ученія въ собственномъ смыслѣ), но также и къ схоластикѣ. Философія среднихъ вѣковъ должна была служить защитой не только противъ Возрожденія, но также и противъ Реформаціи. Св. Ѳома Аквинскій, св. Бонавентура и другіе подобные имъ теологи приравнивались по своему достоинству самой Библіи. Ниже мы увидимъ, что эта, почти богохульственная, теорія іезуитовъ вполнѣ восторжествовала на Тріентскомъ соборѣ.

Но настоящая квинтъ-эссенція взглядовъ Лойолы, проводимыхъ имъ въ *Духовныхъ Упражненіяхъ,* заключается въ тринадцатомъ правилѣ относительно подчиненія церкви: «Для того, чтобы быть вполнѣ единомысленнымъ и согласнымъ съ католической церковью, гласитъ это правило, необходимо: если церковь назоветъ вещь, казавшуюся намъ бѣлой—черною, мы немедленно должны признать ее черною». Извѣстно, что это было одно изъ любимѣйшихъ и наиболѣе часто повторяемыхъ Игнатіемъ правилъ [1]. Нельзя сильнѣе выразить ученіе объ уничтоженіи разсужденія. Въ послѣднемъ правилѣ, являющемся въ то-же время заключеніемъ всего сочиненія, Лойола говоритъ: «Хотя весьма похвально и полезно служить Богу изъ чистой любви, тѣмъ не менѣе нужно усердно рекомендовать также и страхъ передъ божественнымъ Величествомъ, и не только тотъ страхъ, который мы зовемъ сыновнимъ, но также и тотъ, который называется *рабскимъ».* Итакъ—слѣпо вѣрить въ іерархическую церковь и рабски бояться Бога—вотъ послѣднія предписанія и важнѣйшіе принципы Игнатія Лойолы и общины Іисуса!

Правда, Лойола вѣрилъ, что эти идеи необходимы для спасенія церкви. «Этотъ человѣкъ, говоритъ одинъ горячій защитникъ іезуитовъ [2], видѣлъ, что весь католической міръ пе-

---

[1] См. выше, стр. 74.

[2] Crétineau-Joly, *Histoire de la Compagnie de Jésus,* т. I. (Paris, 1844), стр. 58.

реживаетъ одинъ изъ тѣхъ кризисовъ, которыми рѣшаются судьбы народовъ. Послѣдніе всколыхнулись и дѣлали попытки отдѣлиться отъ общенія съ Римомъ. Св. престолъ, смущенный столькими и внезапными неудачами, могъ защищаться только оружіемъ вѣры». Вотъ почему Игнатій хотѣлъ сформировать армію, всецѣло преданную и подчиненную энергичнымъ и смѣлымъ предводителямъ, рѣшившимся бороться съ ересью всякими средствами, мірскими и духовными. Изъ созерцательной жизни онъ бралъ только то, что было совершенно необходимо для того, чтобы внушить его ученикамъ извѣстное религіозное рвеніе и полную преданность къ римской церкви. Его главной цѣлью была активная жизнь, воспитаніе юношества, преподаваніе во всѣхъ видахъ, миссіонерство къ язычникамъ, схизматикамъ и еретикамъ, наконецъ политическая борьба. Въ самой внѣшности іезуитовъ не было ничего монашескаго: они носили обычный священническій костюмъ. Они были освобождены отъ тѣхъ благочестивыхъ упражненій, которыя занимаютъ въ монастыряхъ большую часть времени; они не обязаны участвовать въ церковныхъ хорахъ. Въ одномъ изъ писемъ къ Франциску Борджіа въ 1548 году св. Игнатій приказываетъ ему постепенно уменьшать количество его благочестивыхъ упражненій и удѣлять больше времени практическимъ заботомъ: «Что касается поста и воздержанія, то я думаю, что лучше будетъ, для вящей славы Господа нашего Іисуса Христа, сохранять и укрѣп-

лять желудокъ и другія естественныя способно-
сти человѣка, чѣмъ ослаблять ихъ... И душа,
и тѣло одинаково сотворены Богомъ, Созда-
телемъ и Господомъ вашимъ, и вы должны бу-
дете дать Ему полный отчетъ, какъ въ томъ,
такъ и въ другомъ, и вы отнюдь не должны во
имя духа посягать на свою плоть, ибо если вы
истощите послѣднюю, ваша духовная природа
перестанетъ дѣйствовать съ прежней энергіей....
Переходя затѣмъ къ истязаніемъ, которымъ вы
подвергаете ваше тѣло, я долженъ сказать, что я
избѣгалъ-бы пролить единую каплю моей крови во
имя Господа». Возможно-ли узнать въ этихъ сло-
вахъ бывшаго манресскаго отшельника? Какой
замѣчательный, непостижимый на первый взглядъ
контрастъ! Но дѣло въ томъ, что въ Манресѣ
Лойола хотѣлъ достичь царствія Божія и зем-
ной славы, подражая святымъ, измождавшимъ
свое тѣло, а въ 1548 г. онъ стремился къ той-же
цѣли въ качествѣ вождя большого и значитель-
наго общества, обреченнаго жить въ міру и для
міра, предназначеннаго для увеличенія царствія
Божія не внутренней работой, а служеніемъ
римской іерархіи и ортодоксіи, не щадя ни фи-
зическихъ, ни умственныхъ своихъ силъ.

Эта мысль царитъ во всѣхъ постановленіяхъ
ордена и была проведена Лойолой въ жизнь со
всѣмъ упорствомъ, присущимъ его характеру.
Черезъ годъ послѣ этого письма, двумъ испан-
скимъ іезуитамъ изъ Гандіи, желавшимъ пре-
даться въ теченіе нѣкотораго времени аскетиче-

скимъ упражненіямъ, генералъ ордена пригрозилъ немедленнымъ исключеніемъ, если они совершенно не откажутся отъ своей затѣи [1]. Самъ Игнатій не поколебался ѣсть говядину во время великаго поста, когда это посовѣтовалъ ему его врачъ, который былъ чрезвычайно удивленъ при видѣ такого святого человѣка столь послушнымъ въ этомъ щекотливомъ случаѣ.

По мнѣнію Лойолы, іезуитскій орденъ былъ орденомъ клириковъ, а не монаховъ, подобно театинцамъ, барнабитамъ и сомаскамъ. Но они разнились съ своихъ конечныхъ цѣляхъ: іезуитскій орденъ имѣлъ въ виду *борьбу*.

Какъ бывшій военный, Лойола отлично зналъ, что для войны требуется прежде всего строжайшая дисциплина, какъ для солдатъ такъ и для офицеровъ. Поэтому, для достиженія полнаго подчиненія индивидуума предписаніямъ церкви вообще и ордена въ частности, онъ поставилъ необходимѣйшимъ условіемъ слѣпое и безграничное повиновеніе. Это повиновеніе является главнымъ основаніемъ іезуитскаго ордена; хотя слѣдуетъ сказать, что оно не представляетъ изъ себя элемента исключительно свойственнаго только одному этому обществу. Начиная съ временъ св. Бенедикта Нурсійскаго [2], мы встрѣчаемъ повиновеніе въ числѣ главнѣйшихъ обязанностей монаховъ всѣхъ орденовъ. Древними основате телями монастырскихъ обществъ употреблялись по этому по

---

[1] Genelli (франц. перев.), т. II, стр. 308 и слѣд.
[2] Huber, *Der Jesuiten-Orden* (Berlin, 1873), стр. 49.

воду самыя энергичныя, даже самыя гиперболическія, выраженія. Св. Василій великій, родоначальникъ всѣхъ монаховъ, приказывалъ имъ быть такимъ же послушнымъ орудіемъ въ рукахъ своихъ начальниковъ, какъ топоръ въ рукахъ дровосѣка. Св. Бенедиктъ требуетъ безпрекословнаго повиновенія даже въ вещахъ невозможныхъ. Картезіанцы обязаны отрекаться отъ всякой личной воли, подобно овцамъ, ведомымъ на закланіе. Кармелиты считаютъ смертельнымъ грѣхомъ сопротивленіе приказанію старшаго. Св. Францискъ Асизскій особенно настаивалъ на томъ, что духовный человѣкъ долженъ считать себя *трупомъ*, получающимъ душу и волю только отъ Духа Божія и принимающимъ съ полной покорностью божестеенное руководительство; а другой францисканецъ, св. Бонавентура, повторяетъ, что вполнѣ покорный человѣкъ подобенъ мертвому тѣлу, которое трогаютъ и передвигаютъ безъ малѣйшаго съ его стороны сопротивленія. Очевидно Лойола заимствовалъ именно отъ францисканцевъ уподобленіе человѣка трупу и другія тому подобныя сравненія, ясно указывающія на совершенное устраненіе личной воли, противопоставляемой повелѣніямъ Бога и старшихъ. Но никто, кромѣ него, такъ не настаивалъ на этомъ слѣдствіи слѣпаго, совершеннаго повиновенія, безъ условій и предѣловъ, какъ на чемъ-то такомъ, что должно было послужить основою цѣлой общины.

Всѣ его мысли по этому поводу выражены

со свойственной ему энергіею и ясностью въ посланіи о послушаніи, обращенномъ къ португальскимъ іезуитамъ 26 марта 1553 г. «Мы охотно, говоритъ онъ, предоставляемъ другимъ монашескимъ орденамъ превосходить насъ въ постахъ, бдѣніяхъ и другихъ лишеніяхъ въ образѣ жизни,—лишеніяхъ, которымъ они свято подвергаются, каждый согласно своему собственному уставу и обычаю. Что же касается до истиннаго и совершеннаго повиновенія и до отреченія отъ всякой воли и сужденія, я хотѣлъ бы, возлюбленные мои братья, чтобы въ нихъ особенно отличались тѣ, кто служитъ Богу въ нашей общинѣ; я хотѣлъ бы, чтобы это стало отличительнымъ качествомъ настоящихъ и хорошихъ членовъ нашего ордена, которые никогда не должны принимать въ расчетъ личность, какъ таковую, которой они повинуются, но почитать въ ней Господа Іисуса, во имя котораго они повинуются. Ибо, если бы даже начальникъ и не былъ украшенъ или одаренъ мудростью, добротой и другими божественными дарами, все же слѣдуетъ ему повиноваться по той единственной причинѣ, что онъ намѣстникъ Бога и представитель божественной власти.—Вотъ почему я и желаю, чтобы вы старались пріучиться видѣть во всякомъ начальникѣ самого Господа нашего Іисуса Христа и поэтому относились бы къ нему съ той религіозной преданностью, почитаніемъ и покорностью, какія подобаютъ Божественному

Величеству ¹». Это повиновеніе не должно быть только внѣшнимъ и матеріальнымъ, безъ убѣжденія: «такого рода люди, говоритъ Лойола по другому случаю, равняются самымъ ничтожнымъ рабамъ и животнымъ ²». «Нѣтъ, продолжаетъ онъ, мы должны подняться на высшую ступень, состоящую въ признаніи воли начальника за нашу собственную; мы должны до того отождествиться съ ней, что не только исполненіе ея скажется въ результатѣ, но и въ полномъ согласіи и сочувствіи съ нею, такъ что мы будемъ хотѣть и отвергать все то, что хочетъ или отвергаетъ нашъ начальникъ.... Нужно отрѣшиться отъ нашей собственной воли для того, чтобы проникнуться божественной волей, выражаемой начальникомъ ³». Но это еще не самая высшая ступень добродѣтели повиновенія, по мысли Лойолы. Оно должно идти дальше: «Кто хочетъ вполнѣ посвятить себя Богу, тотъ долженъ отдать Ему, кромѣ своей воли, свой разумъ; въ этомъ заключается третья и самая возвышенная степень повиновенія; нужно не только хотѣть такъ, какъ хочетъ начальникъ, нужно чувствовать такъ же, какъ онъ; нужно подчинять ему свое сужденіе настолько, чтобы благочестивая воля могла бы покорить разумъ».

Лойола никогда не ограничивался одной только голой теоріей. Напротивъ того, онъ и его дѣло именно тѣмъ и отличаются отъ всѣхъ про-

---

¹ *Institut. Societ. Jesu*, т. II, стр. 161 и слѣд.
² M a f f e i, *Ignatii vita*, lib. III, cap. 7.
³ *Epist. Ign. De virtute Obed.*, стр. 162.

чихъ религіозныхъ энтузіастовъ и ихъ дѣйствій, что всѣ его идеи имѣли практическое значеніе. Въ томъ письмѣ, которое мы только что привели, онъ самъ объясняетъ, почему необходимо это полное пожертвованіе разума—волѣ старшихъ. «Если нѣтъ этой *подчиненности сужденія*, то никогда не будетъ надлежащаго согласія между волей и исполненіемъ. Ибо постоянный опытъ доказалъ, что способности нашего ума, называемыя желающими (appétitives), слѣдуютъ за мыслительными, и если сужденіе отвергаетъ что либо, то воля не можетъ долго подчиняться этому, если надъ нею не будетъ совершено насиліе. Слѣдовательно, для того, чтобы обезпечить за приказаніями начальствующихъ точное и успѣшное исполненіе ихъ, необходимо отказаться отъ всякаго собственнаго сужденія».

Лойола очень любитъ возвращаться къ этому предмету. Въ томъ немногомъ, что сохранилось отъ его переписки и дошло до насъ, находится пять писемъ, въ которыхъ онъ очень подробно говоритъ объ этомъ.

И дѣйствительно: эта слѣпая, униженная и абсолютная покорность является осью, вокругъ которой вращается вся организація ордена. Законоположенія, касающіяся ея, встрѣчаются на каждомъ шагу. Уже учредительныя буллы папъ Павла III и Юлія III предписывали іезуитамъ повиноваться своимъ начальникамъ такъ, какъ будто они видятъ въ нихъ присутствіе самого Христа. Повиновеніе, гласятъ Постановленія

(IV, 6, 2), имѣетъ большую заслугу въ глазахъ Господа; единеніе всѣхъ членовъ общины достигается главнымъ образомъ повиновеніемъ (VIII, 1, 3; X. 9). Вотъ почему изъ всѣхъ обѣтовъ самый святой—обѣтъ повиновенія (VI, 1, 1). По первому призыву начальника слѣдуетъ являться къ нему, прервавъ свои занятія на полусловѣ. «Послушаніе, говорится тамъ еще разъ (ч. VI, глава 1-я, § 1), должно соблюдаться не только въ вещахъ обязательныхъ, но также и во всѣхъ остальныхъ, едва только мы замѣтимъ хотя бы лишь признакъ воли старшихъ, не дожидаясь спеціальнаго предписанія отъ нихъ». Постановленія очень настаиваютъ на этомъ пунктѣ, а также на томъ, что служа своимъ начальникамъ, въ сущности служатъ Богу, и что самъ Господь руководитъ нами чрезъ ихъ посредство. Но самое характерное мѣсто въ нихъ слѣдующее: «Пусть всѣ будутъ убѣждены, что живущіе въ повиновеніи вынуждены предаться и управляться божественнымъ провидѣніемъ при посредствѣ начальниковъ такъ, какъ будто они сами суть лишь трупы *(perinde acsi cadaver essent),* которые можно носить всюду, куда угодно, и обращаться съ ними, какъ угодно; или пусть они будутъ подобны посоху старца, служащему тому, кто держитъ его въ своихъ рукахъ и употребляетъ ее тамъ и такъ, какъ ему это заблагоразсудится». Необходимо оказывать повиновеніе во всѣхъ тѣхъ случаяхъ, гдѣ его можно оказывать *по милосердію.* Это выраженіе, довольно неясное и неопредѣленное, объяснено въ *Деклараціяхъ*, составленныхъ отцами Сальмерономъ и Лайнецомъ и окончательно утвержденныхъ первой общей конгрегаціей ордена въ 1558 г. [1]: «Подъ этимъ разумѣется все то, въ чемъ нѣтъ очевиднаго грѣха». Въ другомъ мѣстѣ своихъ собственныхъ Постановленій (III, 1, 23) Лойола самъ говоритъ, что нужно повиноваться во всемъ «въ чемъ нѣтъ очевиднаго грѣха». Но нужно замѣтить, что самое это ограниченіе повиновенія не составляетъ сущности ученія, ибо пятая глава седьмой части Постановленій предписываетъ совершенно ясно повиновеніе папѣ *безъ всякихъ оговорокъ, даже ради грѣха,* и приказываетъ *совершить грѣхъ, смертный или простой, если начальникъ того требуетъ во имя Господа Іисуса Христа или въ силу обѣта повиновенія;* этотъ грѣхъ можетъ быть совершенъ ради вещей или ради людей, для которыхъ его сочтутъ полезнымъ, какъ для блага какого нибудь частнаго лица, такъ и для всеобщаго благополучія».—Итакъ, наихудшія обвиненія противниковъ ордена Іисуса вполнѣ оправдываются самыми постановленіями Лойолы. Подъ простодушнымъ, почти наивнымъ, предлогомъ какого нибудь блага, начальникъ можетъ приказать іезуиту совершить ужаснѣйшее преступленіе и подчиненный обязанъ совершить его «во имя повиновенія». Это возмутительное правило

---

[1] «Tit. II, §§ 17, 19, 21 и слѣд.

мотивировано слѣдующими лицемѣрными словами: «для того, что-бы заслужить большую славу и благоволеніе предъ лицомъ Христа, Творца и нашего Господина [1]».

Основа военныхъ успѣховъ — дисциплина и моментальное, безграничное повиновеніе подчиненнаго своему непосредственному начальнику. Небольшая армія, но хорошо организованная и дисциплинированная, почти всегда заранѣе увѣрена въ томъ, что побѣдитъ безпорядочную толпу, хотя бы въ десять разъ болѣе многочисленную. А между тѣмъ, что значитъ военная дисциплина, даже найстрожайшая, сравнительно съ

---

[1] Вотъ текстъ всей этой главы, слишкомъ замѣчательной, чтобы не привести ее цѣликомъ; тѣмъ болѣе, что она столько же коротка, какъ и многозначительна: «Cum exoptet Societas universas suas Constitutiones, Declarationes ac vivendi ordinem omnino juxta nostrum Institutum, nihil ulla in re declinando, observari; optet etiam nihilominus suos omnes securos esse vel certe adjuvari, ne in laqueum ullius peccati, quod ex vi Constitutionum hujusmodi aut ordinationum proveniat, incidant: visum est nobis in Domino, excepto expresso voto quo Societas summo Pontifici pro tempore existenti tenetur, ae tribus aliis essentialibus paupertatis, castitatis et obedientiae, nullas Constitutiones, Declarationes vel ordinem ullum vivendi posse obligationem ad peccatum mortale vel veniale inducere; nisi superior ea in nomine Domini nostri Jesu Christi vel in virtute Obedientiae juberet: quod in rebus vel personis illis, in quibus judicabitur, quod in particulare uniuscujusque vel ad universale bonum multum conveniet, fieri poterit: et loco timoris offensae succedat amor et desiderium omnis perfectionis; et ut major gloria et laus Christi Creatoris ac Domini nostri consequatur".

обязанностями, предписанными членамъ общины Іисуса! Исполняя приказанія своего начальства, солдатъ можетъ находить ихъ нехорошими, даже осуждать ихъ въ глубинѣ своей души; все, что отъ него требуется, ограничивается однимъ только матеріальнымъ повиновеніемъ. Бываютъ даже такія обстоятельства, при которыхъ неповиновеніе начальникамъ не только дозволено солдату, но даже предписано ему. Напротивъ того, іезуитъ обязанъ совершенно уничтожить свою личность, свободу не только своей воли, но также и своей мысли, онъ обязанъ, если можно такъ выразиться, совершенно исчезать передъ приказаніемъ начальника, быть въ его рукахъ лишь послушнымъ орудіемъ, безъ всякой собственной сущности. Подобная организація очень хороша для только что нарождающагося ордена, управляемаго восторженными, вдохновенными, богатоодаренными руководителями. Она обезпечила за общиной Іисуса замѣчательные и быстрые успѣхи. Она подобна весьма острому и удобному оружію, какъ скоро оно попадаетъ въ руки искусныхъ борцовъ. Но, съ другой стороны, для того, чтобы выполнить дѣйствительно великія и длительныя предпріятія, необходимы личная иниціатива, независимость мысли, индивидуальность и сила разсудка. То же общество, въ которомъ систематически убивается всякая оригинальность, которое всячески стремится отучить своихъ членовъ отъ самостоятельной мысли и дѣлаетъ изъ нихъ только мелкія части большой машины,—никогда не будетъ въ состояніи долго продержаться на исключительной высотѣ и необходимо кончаетъ тѣмъ, что вырождается. Въ наилучшее свое время, въ эпоху наибольшаго подъема, общество Іисуса насчитывало много замѣчательныхъ людей, но ни одного который-бы былъ дѣйствительно великъ, потому что никакой высокій умъ не могъ бы долго выдержать такого состоянія рабства, такого полнаго уничиженія разума и сердца. Уже давно эта знаменитая община клонится къ совершенному упадку и ея имя страшнѣе ея дѣйствительнаго значенія, ибо на ея счетъ обыкновенно относятъ всѣ неизбѣжныя роковыя слѣдствія той великой борьбы, которую ведетъ католическая церковь, вотъ уже три съ половиной столѣтія, съ духомъ новаго времени. А между тѣмъ вѣдь не только орденъ Іисуса, а вся страшная и несравненная организація Римской церкви противустоитъ съ такой силой нападеніямъ новаго міра, она замѣчательно приспособляется къ потребностямъ каждой эпохи и съ необыкновенной мудростью и энергіей пользуется оружіемъ своихъ же противниковъ. Что же касается іезуитовъ, то они остались вѣрны традиціямъ Лойолы и Лайнеца, но эти традиціи дѣлаютъ ихъ нынѣ все болѣе и болѣе безсильными. Гдѣ всѣ тѣ ученые, политики, мученики, вышедшіе нѣкогда изъ нѣдръ этой общины?—Ихъ больше нѣтъ. Все это исчезло изъ устарѣвшаго и изуродованнаго учрежденія, и исчезло благодаря заложеннымъ въ него принципамъ.

Что касается остальныхъ обѣтовъ, то о цѣло-
мудрiи въ постановленiяхъ говорится всего лишь
нѣсколько словъ (VI, I, I). Довольствуются вос-
клицанiемъ, что оно должно быть подобно чи-
стотѣ ангеловъ, не только въ физическомъ, но
и въ духовномъ отношенiи. Очевидно, что это
гиперболическое выраженiе не можетъ быть осу-
ществлено въ жизни, уже по одной физической
организацiи человѣка, и поэтому орденъ въ дѣй-
ствительности придавалъ не слишкомъ большое
значенiе этому обѣту. О бѣдности говорится
больше и подробнѣе (VI, 2). Лойола объявля-
етъ ее твердымъ оплотомъ религiи; говоритъ, что
поэтому ее слѣдуетъ любить и сохранить въ ея
первоначальной неприкосновенности. Професы и
тѣ изъ низшихъ чиновъ ордена, которые жи-
вутъ въ домахъ для професовъ и при ихъ церк-
вахъ, не должны имѣть никакихъ доходовъ и
существовать только милостыней. Они не имѣютъ
права принимать никакихъ даровъ. Всѣ члены
общины обязаны даромъ нести всѣ духовныя обя-
занности. Ни професы, ни коадъюторы, ни ихъ
дома не имѣютъ права ничего наслѣдовать; эти
священники не могутъ даже получать субсидiй
для совершенiя тѣхъ путешествiй, которыя они
должны предпринимать.

Эти постановленiя кажутся чрезвычайно стро-
гими, въ особенности въ отношенiи професовъ
и коадъюторовъ, т. е. настоящихъ членовъ об-
щины; но разныя добавленiя, имѣющiя якобы
цѣлью объясненiе всѣхъ этихъ предписанiй, до

такой степени смягчаютъ ихъ, что отъ ихъ первоначальной суровости остается лишь очень немного. Такъ напримѣръ: дома и церкви професовъ не могутъ получать доходовъ;—прекрасно, но если кто нибудь имъ ихъ подаритъ, то они могутъ принять такой подарокъ лишь съ условіемъ, что община не будетъ сама ими управлять. Какая тонкая уловка! Далѣе: професы могутъ жить только въ спеціально устроенныхъ для нихъ домахъ, гдѣ они содержатся исключительно на милостыню; очень хорошо,—но если имъ даютъ какое бы то ни было порученіе, то ихъ можно тогда помѣщать въ обыкновенныхъ училищахъ, имѣющихъ обезпеченные капиталы и доходы. *Res minimae ducuntur pro nihilo,*—маловажное, считается какъ бы не существующимъ,—поэтому училища могутъ помогать домамъ професовъ всякаго рода мелкими пособіями. Всѣ училища, дома для послушниковъ, воспитательныя учрежденія и пр., принадлежавшія іезуитамъ, а также и всѣ тѣ многочисленныя лица, которыя не были професами или правильными коадъюторами, освобождались отъ обѣта бѣдности. Напротивъ, училища могутъ свободно принимать всякіе дары и всякія завѣщанія, составленныя какъ въ пользу ихъ, такъ и въ пользу находящихся въ нихъ (Instit. I, 277). Такимъ образомъ орденъ Іисуса, не смотря на свой обѣтъ бѣдности, могъ свободно обогащаться. Эта тенденція разрушать посредствомъ исключеній повидимому самыя суровыя правила, какъ только дѣло касается собственнаго интереса, составляетъ спеціальную черту іезуитовъ, характерную для ихъ морали и встрѣчающуюся на каждомъ шагу. Папскія буллы предписали общинѣ немедленно продавать все то недвижимое имущество, которое она получаетъ въ даръ, при томъ если оно ей не нужно для собственнаго размѣщенія, ибо община никогда не должна быть земельной собственницей. Совершенно вѣрно, заявляютъ опять объясненія, но не слѣдуетъ слишкомъ торопиться распродавать ихъ, дабы не пропустить наиболѣе выгодныхъ случаевъ. Кромѣ того, община всегда можетъ принимать дары въ видѣ денегъ, книгъ, одежды или пищевыхъ продуктовъ. — Правила предписываютъ іезуитамъ совершать всѣ церковныя требы совершенно безвозмездно. Превосходно, замѣчаютъ объясненія, но если кто нибудь по личному желанію хочетъ насъ вознаградить своей милостыней за тѣ духовныя услуги, которыя мы ему оказали, мы не можемъ отказаться отъ его благодарности. — Постановленія совершенно опредѣленно запрещаютъ всякому члену общины ѣздить верхомъ на лошади, мулѣ или ослѣ; объясненія же, наоборотъ, разрѣшаютъ это, если только это требуется состояніемъ здоровья или соображеніями службы ордену. И такъ во всемъ! Всегда такія общія и неопредѣленныя исключенія, что въ концѣ концовъ онѣ сводятъ на нѣтъ самыя точныя и суровыя по внѣшности предписанія.

Наконецъ, среди самихъ-же постановленій есть одинъ параграфъ, совершенно разрушающій обѣтъ

бѣдности, предписывавшійся членамъ—профес-
самъ и коадъюторамъ. Этотъ параграфъ (IX, 3, 6, 7)
разрѣшаетъ вообще принимать дары, сдѣланные
не одному какому нибудь училищу, а всему ор-
дену; разрѣшаетъ управлять ими и ихъ доходами
или, по усмотрѣнію ордена, передавать от-
цамъ-провинціаламъ, ректорамъ и проч. право
свободно располагать ими такъ, какъ имъ это
покажется лучше и полезнѣе. Очевидно, что съ
такой системой изъ бѣдности дѣлали пустой звукъ
«всякій разъ, когда считали это полезнымъ для
вящей славы Господа», *prout ad majorem DEI*
gloriam senserit expedire.

Вступающихъ въ орденъ не заставляли отка-
зываться отъ личнаго имущества и на это была
основательная причина: расчитывали, что позд-
нѣе, ставъ членомъ общины, всякій неизбѣжно
придетъ къ тому, что принесетъ ей въ даръ свои
владѣнія. И въ этомъ случаѣ, наступавшемъ почти
закономѣрно, дарившій былъ принужденъ пре
доставить свое имущество не на опредѣленную
цѣль или на извѣстное училище, а въ полное и
свободное распоряженіе всего ордена, т. е. его
генерала. Обѣтъ бѣдности, даваемый спустя нѣ-
которое время схоластикомъ, ученикомъ іезуи-
товъ, нисколько не препятствовалъ ему сохра-
нить свои имѣнія, если его начальникъ не при-
казывалъ ему противнаго (Instit. I, 384 E). Та-
кимъ образомъ схоластику, который, какъ послуш-
никъ, еще не подарилъ своихъ имѣній общинѣ,
предоставлялось нужное время для того, чтобы

одуматься и уступить наконецъ свое имущество добрѣйшимъ отцамъ начальникамъ, отъ которыхъ зависѣла вся его будущность въ орденѣ, которому онъ отнынѣ принадлежалъ душою и тѣломъ. А для того, чтобы быть вполнѣ обезпечить себя, чтобъ послушники и схоластики не забыли о своей общинѣ, имъ настойчиво внушалось не обращать никакого вниманія при раздѣлѣ своихъ имуществъ на узы кровнаго родства и всегда предпочитать своимъ кровнымъ роднымъ «бѣдныхъ во Христѣ [1]». Наконецъ при распредѣленіи своего состоянія, которое всегда можетъ быть предписано послушнику или схоластику его начальникомъ, онъ долженъ руководствоваться исключительно совѣтами одного, двухъ или трехъ сотоварищей, избранныхъ имъ самимъ, но съ согласія начальника,—что является почти совершенно безошибочнымъ шансомъ для ордена, чтобы завладѣть всѣмъ имуществомъ своихъ учениковъ (Instit. т. I, стр. 346).

То, что разъ подарено ордену, того онъ, ни подъ какимъ видомъ, не возвращаетъ назадъ. Если подарившій ему часть или же все свое состояніе, впослѣдствіи исключается изъ ордена, то онъ уже не возстановляется во владѣніи своею прежнею собственностью[2]. Орденъ не пропускалъ ни единаго случая, чтобы обогатиться на счетъ своихъ-же членовъ; даже профессы, принесшіе самые торжественные обѣты передъ Богомъ и пе-

---

[1] *Examen generale*, гл. 4 § 2, *Instit.*, т. I, стр. 346.
[2] *Examen generale, ubi supra.*

редъ людьми, слѣдуя постановленіямъ *Деклара-*
ціи (стр. 384 E.), могли получить отъ своего
начальника разрѣшеніе сохранить за собой права
собственности не только на свои настоящія владѣ-
нія, но даже и на будущія:—это дѣлалось, оче-
видно, съ цѣлью увеличить для ордена шансы
пріобрѣтенія ихъ.

Итакъ, для ордена Іисуса, вообще говоря,
бѣдность была пустымъ звукомъ, предназначав-
шимся для обмана непосвященныхъ и для того,
чтобы удобнѣе скрывать тѣ богатыя пріобрѣте-
нія, которыя община дѣлала съ самаго своего
начала и притомъ въ крупномъ масштабѣ. Что-же
касается различныхъ членовъ ордена, то степень
ихъ бѣдности цѣликомъ зависѣла отъ воли
начальниковъ. Устанавливалось такъ много исклю-
ченій изъ правилъ о бѣдности; въ руки гене-
рала и провинціаловъ были даны такія матеріаль-
ныя средства; имъ была предоставлена такая не-
ограниченная воля въ способахъ ихъ употребле-
нія,—что мы вполнѣ можемъ сказать, что всякій
іезуитъ былъ богатъ или бѣденъ, жилъ худо
или хорошо, располагалъ большими деньгами или
же не имѣлъ ихъ вовсе, смотря по тому, что
казалось хорошимъ и полезнымъ его начальни-
камъ. Слѣдовательно, въ данномъ случаѣ бѣд-
ность являлась лишь новой формой послушанія,
которымъ саязывался всякій іезуитъ по отношенію
къ своимъ начальникамъ. Даже образъ его жизни
долженъ былъ согласоваться съ тѣмъ употреб-
леніемъ, какое хотѣли сдѣлать изъ его личности

и изъ его способностей. По понятіямъ Лойолы обѣтъ бѣдности означалъ только полное освобожденіе отъ всѣхъ внѣшнихъ благъ, равнодушіе къ богатству. Этотъ принципъ, напоминающій принципы стоиковъ, долженъ былъ привести іезуитовъ,—какъ то было нѣкогда и съ этой философской сектой,—къ тому, чтобы вполнѣ спокойно принимать благополучіе и богатства, если судьба или воля начальниковъ имъ ихъ даруетъ. Но разъ богатство есть вещь безразличная, а іезуитъ долженъ безпрекословно подчиняться всякому формальному приказанію своего начальника, даже если онъ приказываетъ преступленіе, то очевидно, что въ случаѣ, если того требуютъ цѣли ордена, іезуитъ можетъ распоряжаться крупными денежными суммами, можетъ жить со всѣми удобствами и роскошно одѣваться. Лайнецъ, гораздо менѣе искренній и болѣе фанатическій политикъ, чѣмъ Игнатій, особенно настаиваетъ въ своихъ Деклараціяхъ на этомъ послѣднемъ пунктѣ. «Не слѣдуетъ избѣгать, пишетъ онъ (стр. 411 М), одѣваться въ нѣкоторыхъ случаяхъ или при надобности въ болѣе изысканныя одежды, лишь бы онѣ были приличны и лишь бы лицо, ихъ надѣвающее, не носило ихъ постоянно. Въ этомъ вопросѣ слѣдуетъ руководствоваться соображеніями частнаго блага отдѣльныхъ лицъ и общаго блага большинства». И онъ заключаетъ своей обычной фразой, той, которую онъ употребляетъ во всѣхъ тѣхъ случаяхъ, когда ему желательно пожертвовать духовной цѣлью ордена его земнымъ интересамъ,—«нужно дѣйствовать насколько возможно къ вящей славѣ Господа».

Основатели общества Іисуса и въ особенности Лайнецъ непремѣнно хотѣли помѣшать іезуитамъ усвоить въ отношеніи манеры держать себя и во всемъ ихъ внѣшнемъ обликѣ ту циничную и отталкивающую неряшливость, которая была присуща нищенствующимъ орденамъ. «Подобно тому, какъ слишкомъ большая забота о своемъ тѣлѣ заслуживаетъ порицанія, говорятъ Постановленія (III, 2, 1.),—умѣренныя старанія сохранить на служеніе Богу здоровье и тѣлесныя силы — похвальны и должны дѣлаться всѣми. Поэтому, если вы замѣтите, что вамъ что нибудь вредно или что вы въ чемъ нибудь нуждаетесь въ смыслѣ-ли пищи, одежды, помѣщенія и т. п.—обратитесь къ вашему начальнику». Съ самаго своего начала орденъ іезуитовъ хотѣлъ добиться большого вліянія во всемъ мірѣ; онъ въ особенности хотѣлъ завоевать высшіе классы общества:—знать, богатыхъ, высшихъ должностныхъ лицъ и ученыхъ. Безобразная и отталкивающая внѣшность, такая, какъ у капуциновъ, францисканцевъ и другихъ нищенствующихъ монаховъ, помѣшала бы имъ осуществить этотъ смѣлый и вдобавокъ столь искусно проводимый замыселъ. Такимъ образомъ очевидно, что бѣдность означала у іезуитовъ только матеріальную зависимость каждаго отдѣльнаго индивидуума отъ всего ордена, означала также для большинства простоту жизни, но весьма часто также и настоящее богатство и всевозможныя наслажденія для тѣхъ, кому община хотѣла придать вліяніе на великихъ и сильныхъ міра сего и кто долженъ былъ появляться при дворахъ князей и въ богатыхъ торговыхъ городахъ. Лойола строго запретилъ что бы то ни было измѣнять въ его собственныхъ постановленіяхъ относительно бѣдности какими бы то ни было позднѣйшими объясненіями и нововведеніями, въ этомъ должны были клясться всѣ професы [1]; между тѣмъ, мы уже видѣли, какъ смѣло и ловко Лайнецъ поднялся надъ этими ограниченіями для того, чтобы облегчить своей общинѣ достиженіе ея честолюбивыхъ цѣлей.

Къ тому же ни постановленія, ни объясненія, ни даже позднѣйшія правила не являются для іезуитовъ послѣднимъ словомъ. Рядомъ съ напечатанными уставомъ и письмами и окружными посланіями генераловъ, существуютъ еще тайныя инструкціи, данныя старѣйшинамъ ордена послѣдовательно смѣнявшимися генералами. Іезуиты всегда отрицали этотъ фактъ, но онъ достаточно установленъ двумя рукописными экземплярами этихъ инструкцій, имѣющимся въ библіотекѣ Мюнхенской Академіи [2].

---

[1] *Constit.* VI, 21; *Instit.* т. I, стр. 403.

[2] F r i e d r i c h, Beitraege zur Geschichte des Jesuiten—Ordens; Abhandl. d. Bair. Akad. d. Wissenschaft, т. XVI (1881), стр. 97. Однако Фридрихъ отказывается признать какой бы то ни было оффиціальной характеръ за знаменитыми *Monita secreta,* которыя такъ часто издавались противниками іезуитовъ, начиная съ 1612 г.

Тотъ же самый пріемъ,—строгія повидимому правила и неясно выраженныя исключенія, ставящія все въ зависимость отъ доброй воли начальства,—встрѣчается и при пріемѣ послушниковъ. Напримѣръ, постановленія совершенно исключаютъ изъ общины еретиковъ, раскольниковъ, убійцъ и всѣхъ тѣхъ, кто совершилъ какое нибудь преступленіе, а также монаховъ другихъ орденовъ, женатыхъ, сервовъ и страдающихъ болѣзнями мозга. Препятствіями второго порядка, правда менѣе рѣшительными, служили: слишкомъ пылкія страсти, неискреннія чувства, преувеличенная религіозность, физическіе недостатки, въ особенности если они вредили внѣшности, слишкомъ нѣжный или слишкомъ преклонный возрастъ и долги. Но Деклараціи гораздо снисходительнѣе [1]. Онѣ говорятъ, что еретикъ исключенъ только до тѣхъ поръ, пока онъ пребываетъ въ своихъ заблужденіяхъ. Преступникъ отвергается только въ той мѣстности, гдѣ онъ совершилъ свое преступленіе, а въ другой онъ вполнѣ можетъ быть принятъ! Къ тому же вопросъ о томъ, есть-ли данный поступокъ преступленіе или нѣтъ, должно ли данный фактъ разсматривать какъ убійство или нѣтъ,—это вполнѣ предоставляется суду генерала! Женатый человѣкъ тоже можетъ вступить въ общину, если только смерть или согласіе супруги освободило его отъ брачныхъ узъ. И наконецъ всѣ вообще препятствія, будетъ ли

---

[1] *Exam. gener.*, cap. 2. *Declar.*; *Inst.* I, т. I. стр. 343 *Constit. Declarat.*; ibid. I, 362.

то ересь или постыднѣйшее преступленіе, могутъ быть устранены: «если, говорится въ Декларацiяхъ, одно изъ этихъ препятствiй встрѣчается на пути человѣка, украшеннаго Богомъ такими качествами, что будетъ очевидно, что черезъ него орденъ могъ бы значительно подвинуться въ служенiи Богу и господину нашему папѣ, тогда генералъ можетъ согласиться на то, чтобы такой человѣкъ обратился либо къ святѣйшему отцу, либо къ его нунцiю или къ старшему пенитансьеру и получить отъ нихъ разрѣшенiе вступить въ Общину, несмотря на существующiе уставы». Что же касается до препятствiй второго порядка, то самъ начальникъ можетъ ихъ устранить, если усмотритъ въ кандидатѣ тѣ спецiальныя добродѣтели, которыя уравновѣшиваютъ его недостатки. — Предѣльнымъ возрастомъ для поступленiя въ орденъ былъ опредѣленъ minimum четырнадцать лѣтъ; но и здѣсь Декларацiи даруютъ генералу право на изъятiя, такъ что въ сущности вовсе не было запрещено заманивать знатныхъ и богатыхъ дѣтей въ общину Іисуса. Такимъ образомъ всюду, гдѣ дѣло касается земныхъ интересовъ ордена, мы видимъ, что Лайнецъ довольно непочтительно измѣнялъ первоначальныя установленiя.

Прежде чѣмъ быть принятымъ въ качествѣ послушника, молодой человѣкъ подвергается испытанiю, имѣющему цѣлью уяснить начальнику его характеръ и истинныя наклонности. Выдержавъ это испытанiе, послушникъ обязанъ пройти двухъ-лѣтнiй курсъ подъ руководствомъ учителя въ

домѣ, или, по крайней мѣрѣ, въ той части дома, кото-
рая спеціально предназначена для послушниковъ.
Они раздѣляются на три категоріи: во-первыхъ тѣ,
которые желаютъ стать духовными членами ор-
дена; во-вторыхъ, желающіе быть свѣтскими чле-
нами его и, наконецъ, въ третьихъ, безразличные,
полагающіеся на волю начальниковъ, которые
имѣютъ право причислить ихъ къ тѣмъ или дру-
гимъ, такъ какъ вообще они могутъ измѣнять
по собственному усмотрѣнію назначеніе всякаго
послушника.

Послушники [1] строго обособлены отъ всѣхъ
лицъ, могущихъ имъ напоминать о мірѣ; они
могутъ жить и гулять только съ тѣми товари-
щами, на которыхъ имъ укажетъ ихъ начальникъ.
Даже со своими родственниками они могутъ раз-
говаривать лишь изрѣдка и то подъ наблюденіемъ
начальника, который прочитываетъ также всѣ по-
лучаемыя ими письма. О своихъ родителяхъ они
должны говорить такъ, какъ будто они уже
умерли. Имъ вообще совѣтуютъ прервать всякое,
даже письменное, сообщеніе со своей семьей, «ибо
она только нарушаетъ внутренній миръ тѣхъ,
кто занятъ духовными предметами [2]». Такимъ обра-
зомъ іезуиты хотѣли вполнѣ завладѣть добычей,
которую они уже разъ захватили, и отрѣшить
поступающаго къ нимъ отъ всякихъ другихъ со-
ображеній, кромѣ соображеній выгоды и жела-
ній общины.

---

[1] *Constit.* III. 1.; т. I, стр. 370 и слѣд.
[2] *Exam. gener.* 4, 6 и *Declar.*; ibid. C.

Всякое дѣйствіе послушниковъ строго опре-
дѣлено; они обязаны сообщать своему начальнику
о всѣхъ внутреннихъ движеніяхъ своего ума и
сердца и подчиняться всѣмъ тѣмъ наказаніямъ,
которыя онъ наложитъ на нихъ. Послушники
должны исполнять самыя унизительныя и самыя
отвратительныя службы по дому безъ малѣйшаго
ропота и съ полнымъ самоотреченіемъ. За все
время ихъ послушничества (новиціата) ихъ обу-
ченіе клонится гораздо больше къ этому самоотре-
ченію, къ христіанскимъ добродѣтелямъ, къ бла-
гочестію, чѣмъ къ наукамъ, которыя, напротивъ
того, обыкновенно даже не преподаются въ до-
махъ новиціатовъ. Самый важный моментъ ихъ
обученія, длящійся мѣсяцъ или больше, это—
ихъ посвященіе въ Духовныя Упражненія Лой-
олы[1]. Они имѣютъ право говорить между собой
только о самыхъ необходимыхъ вещахъ. Началь-
никъ долженъ даже выдумывать подходящіе слу-
чаи для упражненія ихъ въ добродѣтеляхъ по-
виновенія и бѣдности и подвергать ихъ искуше-
ніямъ для провѣрки ихъ успѣховъ въ этомъ на-
правленіи. Имъ ставится въ залугу, если до окон-
чанія обязательныхъ двухъ лѣтъ они уже прино-
сятъ обѣтъ вступить въ орденъ; правда этотъ
обѣтъ еще не формаленъ и заключаетъ въ себѣ
лишь чисто личное обѣщаніе, но все-же этому
акту придаютъ большое значеніе составленіемъ
протокола въ двухъ экземплярахъ, изъ которыхъ
одинъ вручается послушнику, а другой хранится

---

[1] *Exam. gener.* 4, 30.

у начальника [1]. Новиціаты пользуются извѣстною долею тѣхъ привилегій, которыя дарованы ордену, но они не могутъ еще называться его членами; они могутъ быть всегда отосланы или исключены изъ общины, въ особенности тѣ изъ нихъ, которые еще не дали обѣта.

Новиціатовъ знакомятъ съ папскими буллами, коими былъ учрежденъ орденъ, и съ правилами, выработанными имъ самимъ для себя-же. Однако имъ не даютъ Постановленій въ ихъ полномъ объемѣ, а только въ видѣ довольно краткаго извлеченія изъ нихъ [2]. Это извлеченіе въ дѣйствительности [3] не даетъ ни малѣйшаго понятія объ истинныхъ цѣляхъ и средствахъ ордена, такъ что послушники, знающіе только его, вовсе не имѣютъ достаточнаго понятія объ обществѣ, членами котораго они вскорѣ должны сдѣлаться. Въ сущности Извлеченія служили только средствомъ для оправданія ордена, чтобы его нельзя было обвинять въ томъ, что іезуиты побуждаютъ послушниковъ слѣпо и безъ яснаго представленія принимать серьезное и безповоротное рѣшеніе принести религіозные обѣты, связывающіе ихъ съ обществомъ Іисуса. Въ особенности «извлеченія» остерегаются сообщать послушнику о томъ, что разъ онъ подарилъ ордену часть или все свое имущество, онъ ужъ никогда ничего не получитъ обратно, если будетъ изгнанъ изъ ордена.

---

[1] *Constit.* V, 3, 6.

[2] *Exam. gen.* cap. 4. *Decl.* G.

[3] Напечатано въ *Instit.*, т. II, стр. 70 и слѣд.

Общество имѣетъ право продолжить время послушничества сверхъ положенныхъ двухъ лѣтъ. Если послушникъ хочетъ вступить въ орденъ и послѣдній согласенъ его принять, то онъ предназначается заранѣе либо къ свѣтскому, либо къ духовному служенію. Въ первомъ случаѣ онъ становится *свѣтскимъ коадъюторомъ* (coadjutores temporales). Число членовъ этой группы никогда не должно превышать того, которое требуется нуждами іезуитскихъ домовъ. Они служатъ поварами, экономами, привратниками, служителями больницъ, стиральщиками бѣлья, садовниками, раздавателями милостыни, управляющими домовъ и имѣній ордена. Они должны все болѣе и болѣе совершенствоваться въ своихъ спеціальностяхъ и вполнѣ отказаться отъ всякой науки, будучи довольны своей судьбой, счастливы возможностью служить, хотя бы и въ скромной роли, интересамъ общины и Бога. Они обязаны вести себя благочестиво и примѣрно, дабы оказывать благотворное вліяніе на своихъ подчиненныхъ. Они обязаны ежедневно читать извѣстные молитвы. Они никогда не допускаются до священническаго сана, но какъ бы низменны и малы ни были ихъ занятія они участвуютъ въ заслугѣ всѣхъ добрыхъ дѣлъ ордена и во всѣхъ тѣхъ индульгенціяхъ и милостяхъ, которыя даруются святѣйшими отцами. Они также даютъ тройной обѣтъ бѣдности, цѣломудрія и повиновенія, и въ теченіе трехъ дней собираютъ милостыню, прежде чѣмъ перейти въ разрядъ *дѣйствительныхъ ко-*

адъюторовъ (coadjutorei formats). Наконецъ, они подчинены юрисдикціи ордена и обязаны оставаться въ нѣдрахъ его, тогда какъ онъ имѣетъ право въ любой моментъ исключить ихъ изъ своего состава.

Тѣ изъ послушниковъ, которые выказали нѣкоторую способность къ наукѣ, причисляются къ *схоластикамъ (scholastici)*. Приступать къ учебнымъ занятіямъ съ ними можно со второго года ихъ послушничества, если начальникъ сочтетъ ихъ достойными этого; по окончаніи второго года они обязаны поклясться,—впрочемъ не вполнѣ оффиціально, хотя и передъ нѣсколькими свидѣтелями,—въ томъ, что они будутъ соблюдать повиновеніе, цѣломудріе и бѣдность, останутся въ общинѣ Іисуса и будутъ исполнять всѣ ея правила;—все это при подразумѣваемомъ условіи согласія ордена на ихъ поступленіе въ него[1]. Послѣ этого они получаютъ наименованіе *scholastici approbati*. Съ этого момента они уже становятся членами общины и могутъ быть исключены изъ нея только отцомъ-провинціаломъ; но они еще не принимаютъ никакого участія въ конгрегаціяхъ ордена и не имѣютъ доступа ни къ одной изъ должностей; они—пассивные члены. Они ужъ не живутъ въ домахъ для послушниковъ, а переселяются въ училища (коллежи) ордена. Они изучаютъ сперва латынь, потомъ свободныя знанія, т. е. получаютъ общее классическое

---

[1] *Constit.*, V. 4. 3. 4. *Decl. D.*

образованіе, затѣмъ четыре года изучаютъ теоло-
гію: теоритическую или схоластическую и при-
ложеніе ея или теологію позитивную. По окон-
чаніи всѣхъ этихъ занятій, они, если только
ихъ считаютъ къ этому способными, непремѣнно
посвящаются въ священники; въ то же время ихъ
пріучаютъ къ обращенію съ свѣтскимъ міромъ и
въ особенности съ тѣми свѣтскими учениками,
которые препоручены ордену. Ихъ честолюбіе
возбуждается посредствомъ ученыхъ диспутовъ
съ товарищами, всевозможныхъ обсужденій и по-
сылокъ нѣкоторыхъ изъ ихъ работъ провинціалу
или даже самому генералу ордена. При переходѣ
къ другой группѣ научныхъ занятій, они каждый
разъ подвергаются испытанію; когда же, наконецъ,
они закончатъ свое образованіе, то прежде чѣмъ дѣй-
ствительно вступить въ орденъ въ качествѣ актив-
ныхъ членовъ, они должны выдержать общій и
подробный экзаменъ, дабы, во-первыхъ, выказать
свои успѣхи въ наукахъ, а во-вторыхъ, чтобы
провѣрить истинность ихъ призванія и привер-
женности къ цѣлямъ и учрежденіямъ ордена.
Такимъ образомъ за всѣ эти долгіе годы ученія
схоластики не подвергаются ни слишкомъ стро-
гимъ требованіямъ благочестія или умерщвленія
плоти, ни отвлекаются свѣтскою дѣятельностью;
ихъ главная обязанность заключается въ томъ,
чтобы подчиняться въ своихъ занятіяхъ съ наи-
большею предупредительностью и покорностью
своимъ учителямъ.

Закончивъ свое образованіе, получивъ по-

свяще́ніе въ священники и будучи принятъ въ
орденъ начальствующими, схоластикъ долженъ
затѣмъ въ теченіи трехъ дней проситъ милостыню
у дверей, чтобы привыкнуть къ бѣдности и уни-
чиженіямъ; потомъ онъ долженъ продѣлать еще
разъ въ теченіи недѣли духовныя упражненія.
Послѣ этого онъ снова повторяетъ свои обѣты
въ присутствіи начальника, прибавляя къ нимъ
еще клятву спеціально отдаться дѣлу воспитанія
юношества. Послѣ всѣхъ этихъ формальностей
онъ получаетъ, наконецъ, званіе *духовнаго дѣй-
ствительнаго коадъютора*.

Духовный коадъюторъ является уже актив-
нымъ членомъ ордена. Онъ не имѣетъ больше
права ни наслѣдовать, ни владѣть чѣмъ бы то
ни было, ни получать духовныя бенефиціи. Онъ
можетъ быть удаленъ или исключенъ изъ обще-
ства только самимъ генераломъ и тогда совер-
шенно освобождается отъ всѣхъ тѣхъ обяза-
тельствъ, которыя вытекаютъ изъ его обѣтовъ.
Онъ исповѣдуетъ и проповѣдуетъ, какъ всѣ
профессы, но главнымъ образомъ онъ служитъ
учителемъ схоластиковъ, экстерновъ и интер-
новъ ордена. Изъ среды духовныхъ коадъюто-
ровъ генералъ выбираетъ ректоровъ коллегій
(училищъ) и прокураторовъ, на обязанности ко-
торыхъ лежатъ сношенія между коллегіями и
внѣшнимъ міромъ. Ихъ можно сзывать—въ осо-
бенности ректоровъ и прокураторовъ—на провин-
ціальныя и общія конгрегаціи ордена, въ которыхъ
они имѣютъ право голоса, за исключеніемъ лишь вы-

бора генерала, который производится послѣднимъ и
высшимъ классомъ членовъ Общества іезуитовъ.
Духовнымъ коадъюторамъ, такъ же какъ и всѣмъ
другимъ членамъ ордена, строго запрещается до-
биваться повышенія своего положенія въ обществѣ.

Таковъ былъ обычный путь, который дол-
женъ былъ проходить каждый іезуитъ. Но осно-
ватели ордена были достаточно сообразительны и
опытны для того, чтобы не понять, что могутъ
встрѣтиться такого рода случаи, когда будетъ
выгодно принять въ орденъ, въ видѣ исключенія
и особой чести, такихъ людей, которые не были
воспитаны орденомъ. На этотъ конецъ былъ уч-
режденъ чинъ *Професса трехъ обѣтовъ.* Послѣд-
ніе отличались отъ духовныхъ коадъюторовъ
только тѣмъ, что ихъ обѣты, совершенно то-
ждественные съ обѣтами коадъюторовъ, произно-
сились съ гораздо большей торжественностью.
Такія лица должны были находиться въ близкихъ
сношеніяхъ съ орденомъ въ теченіи по крайней
мѣрѣ семи лѣтъ, отличиться заслугами, соотвѣт-
ствующими его видамъ, и обладать особыми спо-
собностями для проповѣди. Зато отъ нихъ тре-
бовалось меньше эрудиціи, чѣмъ отъ духовныхъ
коадъюторовъ, права которыхъ по отношенію къ
управленія орденомъ они раздѣляли. Число ихъ
всегда должно было быть весьма ограниченно [1].
Этимъ путемъ общество Іисуса оставляло за
собой право принимать въ свои члены выдаю-

---

[1] *Exam. general.* I D. — Constit. V. 2, 3; V, 2 C;
VIII, 3 A.

щихся, значительныхъ, богато одаренныхъ людей, но уже достигшихъ извѣстнаго возраста и не вышедшихъ изъ рядовъ его обычныхъ и дѣйствительныхъ воспитанниковъ.

Наконецъ тѣ, кто выдѣляется изъ всѣхъ іезуитовъ своими заслугами передъ орденомъ, на кого онъ вполнѣ могъ расчитывать и полагаться, возводились генераломъ на самую высшую іерархическую ступень ордена, въ званіе *Професса четырехъ обѣтовъ*. Эти профессы были главными или, вѣрнѣе, единственными настоящими членами общины, несущими на себѣ всѣ его обязательства и исполняющими ихъ самолично, чтобы не лишать орденъ его близкой связи съ внѣшнимъ міромъ. Посвященіе въ профессы совершалось въ церкви передъ генераломъ или его представителемъ, послѣ торжественнаго богослуженія. Профессъ произносилъ сперва обычные три обѣта на службу генералу «намѣстнику Бога»; затѣмъ онъ прибавлялъ къ нимъ четвертый обѣтъ особеннаго повиновенія папѣ по дѣламъ миссіонерства *(circa missiones)*. Профессъ четырехъ обѣтовъ долженъ былъ быть священникомъ; однако генералъ могъ его освободить отъ этихъ обязанностей, ибо и это правило, какъ и всѣ остальныя постановленія іезуитовъ, вполнѣ подчинялись его волѣ. Такой профессъ долженъ быть старше 25 лѣтъ и предварительно окончить не только весь гуманистическій курсъ наукъ, но и четырехлѣтній курсъ теологіи. Впрочемъ и въ этомъ случаѣ генералъ могъ от-

мѣнить всѣ эти требованія [1]. Число такихъ про-
фессовъ никогда не было особенно велико. Мы
уже видѣли, что въ моментъ смерти Лойолы ихъ
было всего только тридцать пять человѣкъ; во-
обще же ихъ никогда не было больше двухъ на сто
остальныхъ членовъ ордена. Они получаютъ это
званіе лишь послѣ суровыхъ испытаній въ бла-
гочестіи и самоотреченіи; они живутъ—за исклю-
ченіемъ лишь слабыхъ, больныхъ и тѣхъ, кому
поручаются экстраординарныя миссіи,—въ домахъ
профессовъ, которые не должны имѣть никакого
опредѣленнаго дохода и обязаны существовать
только милостыней. Они наблюдаютъ также и
за коллегіями, но не могутъ ни пользоваться
ихъ доходами, ни занимать въ нихъ мѣста рек-
торовъ. Излишне повторять, что въ исключитель-
ныхъ случаяхъ генералъ можетъ отмѣнить всѣ
эти правила и ограниченія [2], какъ мы то уже
многократно отмѣчали. Изъ среди профессовъ че-
тырехъ обѣтовъ, т. е. изъ профессовъ въ собствен-
номъ смыслѣ этого слова, избираются всѣ миссіо-
неры ордена. Впрочемъ и они, какъ и всѣ дру-
гіе іезуиты, могутъ быть удалены, но только са-
мимъ генераломъ, причемъ они не получаютъ
обратно ни малѣйшей частицы изъ своихъ преж-
нихъ богатствъ и никакихъ средствъ къ суще-
ствованію. Никто изъ іезуитовъ не гарантированъ
отъ того страшнаго могущества, которое паритъ
надъ ними и всегда можетъ обрушиться и сло-

---

[1] *Constit.* V. 2 B.
[2] *Constit.* IV, 2 F. 10 A; VI, 2, 3 и С.

мить ихъ, какъ тонкую вѣтку. А между тѣмъ никто не имѣетъ права по собственному желанію покинуть орденъ, въ особенности, если захотѣвшій сдѣлать это былъ полезнымъ и способнымъ членомъ общины: тогда все пускалось въ ходъ для того, чтобы удержать его, и въ крайнихъ случаяхъ допускались даже принудительныя средства, право которыхъ даровано ордену апостолическими привилегіями (Const. II, 4, 2).

Таковы различныя степени въ іезуитскомъ орденѣ. Все было хорошо разсчитано, хорошо регламентировано. Для честолюбія и для ума открывалось обширное поле дѣйствія. Всякій могъ найти въ немъ то, что ему лично больше нравилось и что соотвѣтствовало его индивидуальнымъ способностямъ: преподавательская дѣятельность, политика, занятія административнаго характера, наконецъ, чистая наука,—все было равно доступно. Но кто-бы и чѣмъ бы не занимался,—всѣ іезуиты были одинаково подчинены твердому и неумолимому деспотизму.

Намъ остается сказать нѣсколько словъ объ іерархіи іезуитовъ. Она представляетъ изъ себя искуснѣйшую смѣсь безграничнаго абсолютизма и постоянно дѣятельнаго контроля, наблюдающаго за наивысшими чинами еще строже, чѣмъ за младшими. Агентами этого контроля, безъ котораго абсолютная власть генерала легко могла бы стать опасной, были духовные совѣтники и конгрегаціи.

Мы уже говорили объ наставникѣ послушниковъ и о ректорѣ, начальникѣ коллегіи. Ректоры назначаются либо самимъ генераломъ, либо провинціаломъ, но съ утвержденія генерала; за послѣднимъ всегда остается право смѣстить ректора, если онъ считаетъ это нужнымъ и полезнымъ. Ректоръ долженъ заботиться о матеріальныхъ, духовныхъ и умственныхъ интересахъ профессоровъ и учениковъ схоластиковъ и руководить матеріальными, свѣтскими дѣлами коллегій но въ дѣйствительности послѣднія поручаются спеціальнымъ заботамъ прокураторовъ. Тѣмъ не менѣе, не смотря на всѣ эти общія правила, власть каждаго ректора можетъ быть увеличена или уменьшена генераломъ, согласно его личному усмотрѣнію; но онъ ни въ какомъ случаѣ не можетъ измѣнить установленный порядокъ занятій. Ректоры зависятъ одновременно и отъ генерала, и отъ своего провинціала: они представляютъ подробнѣйшій отчетъ генералу одинъ разъ въ годъ, а провинціалу два раза.

Кромѣ того, для постояннаго контроля, къ каждому ректору приставлено два совѣтника, а къ ректору іезуитскаго университета — четыре. Во всѣхъ трудныхъ и значительныхъ случаяхъ онъ обязанъ спрашивать ихъ совѣта, но не обязанъ непремѣнно слѣдовать ему. Съ своей стороны совѣтники должны доставлять установленные доклады не только генералу, но и провинціалу, такъ что они являются какъ бы шпіонами, приставленными для наблюденія за ректоромъ.

Домъ профессовъ управляется начальникомъ,

срокъ дѣятельности котораго не опредѣленъ и можетъ длиться столько времени, сколько заблагоразсудится генералу[1]. Этотъ начальникъ былъ подчиненъ провинціалу, которому онъ посылалъ правильные отчеты; кромѣ того его дѣятельность, какъ и дѣятельность ректора, контролировалась совѣтниками. Провинціалы назначались генераломъ обыкновенно на три года, по личному его усмотрѣнію. Равнымъ образомъ отъ него же зависѣло расширеніе или сокращеніе ихъ власти, которая, однако, всегда должна была быть очень большой, ибо провинціалы являлись намѣстниками генерала въ каждомъ отдѣльномъ округѣ. На ихъ обязанности лежало посѣщеніе всѣхъ учрежденій ордена, находящихся въ ихъ провинціи; представленіе генералу подробныхъ отчетовъ объ ихъ состояніи и положеніи; но главнымъ образомъ надзоръ за ректорами и за преподаваніемъ въ коллегіяхъ. Само собою разумѣется, что каждый изъ нихъ занимался также,—и весьма дѣятельно,— политическими дѣлами своей провинціи и переписывался о нихъ съ генераломъ. Они созывали провинціальныя конгрегаціи и предсѣдательство-

---

[1] *Instit.* I, 158.—Въ началѣ Лойола хотѣлъ предоставить назначеніе начальниковъ коллегій и домовъ профессовъ членамъ этихъ обѣихъ учрежденій. (Письма Лойолы отъ 29 іюля и 31 октября 1547 г.—Menchaca, II, 319 и слѣд.); но позднѣе онъ нашелъ, что во имя духа той субординаціи, которая долженствовала царить во всемъ орденѣ, было правильнѣе предоставить назначеніе этихъ лицъ генералу.

вали въ нихъ, пользуясь при этомъ правомъ
двухъ голосовъ.

Провинціальная конгрегація составляется изъ
профессовъ четырехъ обѣтовъ, ректоровъ и про-
кураторовъ данной провинціи. Она избираетъ
тѣхъ лицъ, которые посылаются отъ каждой про-
винціи разъ въ три года къ генералу, чтобы
полнѣе освѣдомлять его о всѣхъ главныхъ собы-
тіяхъ и состояніи провинціи и дать ему, такимъ
образомъ, возможность контролировать и лучше
узнавать провинціала и его главныхъ помощни-
ковъ. Кромѣ того она-же избираетъ своихъ де-
легатовъ на общую конгрегацію, коль скоро по-
слѣдняя созывается. Но помимо этихъ избраній,
роль провинціальной конгрегаціи весьма незна-
чительна и мало замѣтна.

Наконецъ, самое высокое изъ всѣхъ должно-
стныхъ лицъ ордена,—генералъ,—избирается об-
щей конгрегаціей, состоящей изъ провинціаловъ и
двухъ членовъ отъ каждой провинціи, избирае-
мыхъ, какъ мы только что сказали, провинціаль-
ными конгрегаціями. Генералъ избирается пожиз-
ненно изъ среды профессовъ четырехъ обѣтовъ.
Мы уже не разъ указывали на его почти без-
граничную власть; но необходимо дополнить эту
картину. Онъ—верховный глава всѣхъ членовъ
общества, распорядитель судьбою и трудами всего
ордена. Всѣ тѣ ограниченія, которыя будто-бы
поставляются ему «конституціями», суть лишь
воображаемыя преграды, ибо въ громаднѣйшемъ
большинствѣ случаевъ онъ можетъ дѣйствовать

наперекоръ всѣмъ конституціямъ, если только это ему заблагоразсудится. Онъ есть источникъ всѣхъ властей, всякаго повышенія, верховный судья всѣхъ назначеній и смѣщеній, и управитель всѣми орденскими имуществами. Онъ не только можетъ послать каждаго професса для исполненія своихъ порученій, но и отозвать обратно іезуита, командированнаго съ опредѣленною миссіею самимъ святѣйшимъ отцомъ [1]. У него имѣется списокъ всѣхъ домовъ профессовъ и всѣхъ коллегій ордена, всѣхъ членовъ и даже всѣхъ послушниковъ; а тѣ многочисленные отчеты, которые онъ получаетъ со всѣхъ сторонъ, даютъ ему возможность имѣть должное понятіе о каждомъ изъ этихъ безчисленныхъ людей, прощупать въ каждомъ изъ нихъ живую личность и судить о самомъ послѣднемъ изъ своихъ подчиненныхъ такъ же хорошо, какъ о самомъ первомъ. Должностные лица ордена, въ особенности важнѣйшіе изъ нихъ и отцы профессы, должны быть ему извѣстны до самыхъ глубокихъ и скрытыхъ изгибовъ души. Онъ всюду и всегда долженъ быть въ состояніи поставить человѣка на то именно мѣсто, какое наиболѣе ему подходитъ, выдвинуть тѣхъ, кто особенно полезенъ общинѣ, и удалить тѣхъ, кто ненуженъ. Онъ имѣетъ право взять отъ ихъ непосредственныхъ начальниковъ столько членовъ, сколько ему угодно, для службы лично ему самому. Однимъ своимъ словомъ онъ можетъ

---

[1] *Constit.* VII, 2H; IX, 4 G.

сокрушить самого вліятельнаго послѣ себя члена всего ордена. Онъ постоянно долженъ контролировать провинціаловъ и изъ ихъ докладовъ знать во всѣхъ подробностяхъ положеніе различныхъ провинцій для того, чтобы приводить въ нихъ въ исполненіе свои собственныя рѣшенія. Его резиденція находится въ Римѣ, который наиболѣе богатъ средствами сообщенія со всѣмъ католическимъ міромъ и гдѣ онъ находится въ непосредственныхъ сношеніяхъ съ папой; однако, въ совершенно исключительныхъ случаяхъ, ему разрѣшается посѣщать и другія мѣстности, съ цѣлью осмотра учрежденій ордена или когда въ нихъ требуется его помощь. Онъ освобожденъ отъ всякаго спеціальнаго дѣла, онъ не обязанъ ни проповѣдывать, ни исповѣдывать, ни управлять какимъ нибудь учрежденіемъ; онъ долженъ заботиться только объ общемъ управленіи орденомъ. Къ тому же онъ не имѣетъ права заниматься какимъ бы то ни было другимъ дѣломъ, хотя бы благочестивымъ, но чуждымъ обществу Іисуса. На смертномъ одрѣ онъ можетъ назначить себѣ викарія, который будетъ управлять орденомъ вплоть до выбора новаго генерала. Въ его распоряженіи имѣются: секретарь, который долженъ распечатывать всю корреспонденцію и составлять ему письма, и генеральный прокуроръ, завѣдующій свѣтскими дѣлами ордена, живущій въ Римѣ, какъ и его прямой начальникъ, но не принадлежащій къ классу профессовъ, которые не допускаются къ вѣдѣнію свѣтскихъ дѣлъ.

Но, хотя власть генерала безгранична, пока онъ трудится на благо ордена, однако даже и она подчинена строжайшему наблюденію, дабы деспотъ-генералъ не былъ въ состояніи предпринять что бы то ни была противное интересамъ общества. Всеобщее недовѣріе и взаимное шпіонство—вотъ принципъ, проводившійся во всѣхъ слояхъ іезуитскаго ордена. Его глава считался какъ бы служителемъ всей общины, которая должна быть истинной владычицей [1]; генералъ ничего не могъ измѣнить въ конституціяхъ ордена, ни измѣнить преподаваніе въ коллежѣ ордена безъ согласія на это общей конгрегаціи, назначающей на ряду съ генераломъ несмѣняемыхъ должностныхъ лицъ, обязанныхъ наблюдать за нимъ. Изъ такихъ лицъ мы должны прежде всего назвать *администратора*, обязаннаго призывать генерала къ повиновенію и «къ славѣ Божіей», если онъ отъ нихъ уклоняется. Въ то-же время онъ можетъ быть духовникомъ генерала, но эта должность для него необязательна, ибо генеральная контрегація можетъ назначить на этотъ отвѣтственный постъ и всякаго другого іезуита. Еще большимъ значеніемъ пользуются четыре ассистента генерала, нѣчто вродѣ министровъ, также назначаемыхъ той-же самой конгрегаціей, которая выбираетъ генерала. Если одинъ изъ ассистентовъ умираетъ, или-же почему либо долженъ оставить занимаемое имъ мѣсто, генералъ можетъ назна-

---

[2] *Constit.* x. 7.

чить его замѣстителя только съ согласія боль-
шинства провинціаловъ. Ассистенты выбираются
изъ среды профессовъ и генералъ можетъ удалить
ихъ отъ своей особы только на основаніи серь-
езнѣйшихъ причинъ. Ихъ обычное занятіе состо-
яло въ управленіи важнѣйшими дѣлами различ-
ныхъ большихъ провинцій ордена подъ началь-
ствомъ, однако, генерала; они являлись при немъ
спеціальными представителями частныхъ интере-
совъ этихъ крупныхъ отдѣловъ: первый былъ
представителемъ Индіи, второй—Испаніи и Порту-
галіи, третій—Франціи и Германіи, четвертый—
Италіи и Сициліи. Но они могли также совмѣстно
обсуждать и представлять генералу свои общія
предложенія. Во всѣхъ очень важныхъ вопросахъ,
генералъ долженъ спрашивать ихъ совѣта, но
онъ не связанъ ихъ мнѣніями. Правда, что, вы-
слушавъ своихъ ассистентовъ, онъ можетъ созвать
еще и другихъ мудрыхъ и свѣдующихъ людей
для того, чтобы выслушать и ихъ мнѣніе о дѣлѣ.
Однако-же въ рѣшеніяхъ значительной важно-
сти и при редактированіи торжественнѣйшихъ
документовъ, генералъ нравственно обязанъ не
дѣйствовать безъ согласія и сотрудничества асси-
стентовъ, коихъ одобреніе еще увеличиваетъ авто-
ритетность принимаемымъ имъ мѣръ.

На ассистентахъ лежитъ еще и другая обя-
занность, значеніе которой еще большее: спеціально
имъ поручается отъ имени всего ордена наблю-
деніе за генераломъ. Они опредѣляютъ личный
образъ жизни генерала: какъ онъ долженъ пи-

таться и одѣваться, размѣръ его частнаго бюджета, сколько времени онъ долженъ удѣлять общественнымъ и частнымъ дѣламъ,—и онъ не можетъ уклониться отъ исполненія ихъ предписаній. Но еще важнѣе въ ихъ правахъ—слѣдующее: если недостатки или состояніе здоровья дѣлаютъ необходимыми полное или временное смѣщеніе генерала, то ассистенты имѣютъ право и даже обязаны, въ силу данной ими клятвы, постановить большинствомъ трехъ голосовъ противъ одного созваніе общей конгрегаціи для низложенія главы ордена. Мы уже видѣли, что осенью 1554 года ассистенты Лойолы, не желая дойти до формальнаго низложенія основателя ордена, заставили его временно отречься отъ своего званія и назначить себѣ викарія.

Если ассистенты не исполняютъ своего долга относительно недостойнаго генерала, провинціалы должны согласиться между собою и собственной властью созвать конгрегацію ордена, и генералъ обязанъ отдать отчетъ ей во всѣхъ своихъ дѣйствіяхъ съ полнымъ смиреніемъ. Болѣе того: провинціальныя конгрегаціи, собирающіяся черезъ каждые три года, должны, прежде чѣмъ приступать къ какимъ-бы то ни было разсужденіямъ, обсудить не слѣдуетъ ли созвать общую конгрегацію. Такова была совокупность предосторожностей, долженствовавшихъ удержать первое лицо общества въ предѣлахъ долга. Когда вопросъ шелъ о смѣщеніи генерала, то для того, чтобы нельзя было запугать членовъ конгрегаціи, имъ предписывалось подавать голоса тайно, т. е. письменно. Правда, генералъ можетъ быть лишенъ своей должности только большинствомъ двухъ третей голосующихъ; простое же большинство достаточно для того, чтобы наложить на него наказаніе или даже назначить ему викарія съ неограниченною властью. Ни подъ какимъ предлогомъ генералъ не имѣетъ права воспротивиться созыву генеральной конгрегаціи, если она рѣшена ассистентами, большинствомъ провинціаловъ или же провинціальныхъ конгрегацій. Но съ другой стороны генералъ никогда не можетъ подавать въ отставку и никогда орденъ не разрѣшитъ ему принять какую-бы то ни было духовную должность, несовмѣстимую съ его высокимъ положеніемъ въ общинѣ. Этими постановленіями хотѣли воспрепятствовать генералу измѣнить интересамъ обшества Іисуса въ пользу ли католическаго монарха или даже самого папы, могущихъ соблазнить генерала перспективой какого нибудь повышенія.

Конституціи называютъ шесть опредѣленныхъ случаевъ, когда низложеніе генерала становится обязательнымъ: если онъ совершилъ смертный грѣхъ сластолюбія; если тяжко кого нибудь ранилъ; если присвоилъ себѣ для личнаго употребленія доходы коллежей; если онъ отдалъ ихъ людямъ, чуждымъ ордену и въ особенности членамъ своей семьи; если онъ отчуждилъ нѣкоторыя изъ земельныхъ собственностей общины; наконецъ, если онъ придерживается еретическихъ мнѣній. Генералъ, низложенный за одно изъ этихъ преступленій, подлежитъ даже совершенному исключенію изъ общества.

Такъ предусмотрительно было организовано все зданіе ордена Іисуса. Основнымъ его принципомъ была субординація и шпіонство на всѣхъ ступеняхъ іерархической лѣстницы. Всякій іезуитъ, начиная съ самаго юнаго послушника и кончая генераломъ, постоянно сознавалъ себя объектомъ строжайшихъ наблюденій и рабомъ цѣлей и интересовъ ордена. Никто изъ нихъ не могъ надѣятся избѣжать этой грозно приспособленной машины. Генералъ, которой рѣшился бы дать нѣсколько денегъ общины своимъ нуждающимся родителямъ, былъ бы безжалостно смѣщенъ и исключенъ. Что же касается до другихъ іезуитовъ, то община, исключая ихъ, не обязана была давать имъ какія-бы то ни было объясненія по этому поводу. Исключеніе совершалось безъ выслушиванія свидѣтелей, безъ того, чтобы обвиняемый могъ защититься, судомъ одного лица, на котораго нельзя было аппелировать. Судьба несчастнаго изгнанника была ужасна! У него не было больше имущества; не было никакихъ средствъ къ существованію; общество ничего ему не давало. Напротивъ, всюду его преслѣдовала вражда ордена, исключившаго его, какъ недостойнаго, изъ своей среды. Самый фактъ этого исключенія уже накладывалъ въ глазахъ всякаго добраго католика извѣстную печать на бывшаго іезуита. Воспитанный исключительно для того, чтобы быть іезуитомъ, неспособный ни

къ какому другому дѣлу, такой человѣкъ есте-
ственно долженъ былъ погибнуть въ самомъ ско-
ромъ времени.

Устройство ордена было великолѣпно, можно
сказать несравненно даже въ отношеніи соедине-
нія принциповъ авторитета и отвѣтственности. Но
эта цѣль могла быть достигнута только подъ
условіемъ шпіонства, возведеннаго въ систему,
въ священный долгъ. Это была вѣчно дѣйствую-
щая инквизиція. Прежде чѣмъ вступить въ ор-
денъ, послушникъ предупреждался, что для наи-
большаго духовнаго преуспѣянія и особенно для
наиполнѣйшаго его послушанія и уничиженія,
онъ долженъ радоваться, видя, что всѣ его ошибки
и недостатки и все, что будетъ замѣчено и наб-
людено въ немъ, будетъ сообщаться его началь-
никамъ всѣми, кто что нибудь замѣтитъ, и притомъ
не на исповѣди, которая должна быть тайной.
Онъ долженъ былъ «съ благодарностью прини-
мать то, что его исправляютъ, и самъ долженъ
былъ помогать исправленію другихъ его сотова-
рищей, говоря все, что онъ про нихъ знаетъ, въ
особенности въ случаѣ приказа или запроса на-
чальника, которому онъ непосредственно подчи-
ненъ [1]». Можно-ли представить себѣ болѣе раз-
витую систему взаимныхъ доносовъ? И горе тому
кто осмѣлится возстать противъ этой ежеминут-
ной тираніи! Его подавятъ униженіями: «Кто
склоненъ къ гордынѣ, тому нужно поручить са-

[1] *Exam. gen.* 4, 8.

мыя отвратительныя занятія, какія будутъ сочтены полезными для его уничиженія» (Const. III, 1, 13). И въ такихъ случаяхъ наказанный іезуитъ долженъ былъ оказывать полное повиновеніе всѣмъ второстепеннымъ служителямъ ордена, какъ на-примѣръ повару, и долженъ былъ во всѣхъ ихъ, какъ и въ самомъ начальникѣ, видѣть предста-вителя Бога[1].

Такъ безжалостно разбивалась всякая инди-видуальность; изъ всякаго ученика ордена дѣлали раба со всѣми отвратительными и презрѣнными чертами рабства: подлостью, покорностью, шпі-онствомъ, предательствомъ и лицемѣріемъ; и все это лишь для того, чтобы лучше можно было имъ пользоваться въ интересахъ общины. Рядомъ съ независимостью характера подлежала искоре-ненію и независимость мнѣній, ради однородно-сти всего состава общества. «Мы должны всѣ оди-наково вѣрить и одинаково говорить на сколько только это возможно», гласятъ Постановленія (III, 1, 18). Вслѣдствіе этого нельзя допускать не согласныя ученія ни въ словесномъ изложеніи, какъ то въ проповѣдяхъ, въ публичныхъ бесѣдахъ и рѣчахъ, ни въ письменномъ, т. е. въ книгахъ, которыя, поэтому, нельзя печатать безъ предва-рительнаго одобренія и согласія генерала. «От-носительно ученія, сужденія и воли община нуж-дается въ абсолютномъ единствѣ» (*Constit.* VIII, 1, 8). Новыя доктрины не должны быть прини-маемы безъ согласія всего общества; даже въ

---

[1] *Exam. gen.* 29.

тѣхъ случаяхъ, когда сами католическіе теологи бывали различнаго мнѣнія, іезуитъ долженъ принимать то изъ нихъ, которое принято общиной: *это мнѣніе всегда будетъ такое, которое наиболѣе полезно ордену* (magis conveniens Nostris [1]).

Въ виду всѣхъ этихъ столь точныхъ правилъ, мы имѣемъ полное право возлагать на *весь* орденъ отвѣтственность за ученіе, находящееся въ книгѣ *одного* изъ его членовъ, и считать орденъ солидарнымъ съ теоріями, изложенными любымъ іезуитомъ. Эта солидарность, часто весьма компрометирующая весь орденъ, многократно имъ опровергалась. Но достаточно указать ему на эти статьи его первоначальныхъ конституцій и на многіе позднѣйшіе декреты для того, чтобы вынудить его сознаться въ этой коллективной отвѣтственности, отъ которой онъ отрекался исключительно изъ за политической выгоды каждый разъ, когда ему случалось слишкомъ ярко высказывать свои принципы нетерпимости и всемірнаго господства.

Іезуиты сами поняли, какъ трудно имъ будетъ убѣдить міръ въ отсутствіи крѣпкой связи между ними. Поэтому всякій разъ, когда это было возможно, они старались иначе защититься отъ послѣдствій какой нибудь позорной книги, вышедшей изъ нѣдръ ихъ общины. Они просто отрицали фактъ существованія этой книги, объявляя ее сочиненной ихъ противниками, или-же, если

---

[1] *Declar. in. Const.,* III, 1 O, VIII, 1 K.

это было невозможно, они оспаривали, что она была дѣйствительно написана однимъ изъ нихъ [1].

Эта система притворства была имъ необходима для того, чтобы скрыть неоспоримый факть, что каждый изъ іезуитовъ въ отдѣльности думаетъ и дѣйствуетъ такъ, какъ думаетъ весь орденъ. Конечно, это единообразіе являлось элементомъ силы, но въ другихъ отношеніяхъ оно же становится и элементомъ слабости. Оно уничтожаетъ энергію мысли до такой степени, что всякое великое и творческое движеніе оказывается въ обществѣ Іисуса немыслимымъ. Не только изъ него не вышло ни одного дѣйствительно великаго человѣка, ни одного генія, но, что еще хуже, оно само себя обрекло на исключительный консерватизмъ, реакціонерство, на тотъ духъ, который старилъ его все больше и больше среди окружающаго его міра, развивающагося, прогрессирующаго и постоянно движущагося впередъ. Неподвижные и враждебные всякой перемѣнѣ, въ нашъ вѣкъ, когда происходитъ такая страстная и жизненная борьба, іезуиты осуждены погибнуть, наконецъ, отъ анеміи и старческаго безсилія.

Таково твореніе Лойолы и Лайнеца: созданіе великолѣпное, грандіозное, такъ сказать изъ одной глыбы, страшная военная машина, которая никогда, въ теченіи долгихъ вѣковъ, не отказывалась служить и оказывала чудеса противъ вся-

---

[1] См. примѣры у Friedrich'a, *Beitraege zur Gesch. des Jesuiten-Ordens;* Abhandl. d. Bair. Akad. d. Wissensch., т. XVI (1881), стр. 87 и слѣд.

кой серьезной попытки реформировать церковь, противъ всякой терпимости, какъ въ мысляхъ, такъ и въ жизни; противъ свободы человѣческаго духа. Вступая въ союзъ то съ королями противъ народовъ, то съ народами противъ королей, іезуиты всегда имѣли въ виду только одну единственную цѣль: доставить торжество традиціонной ортодоксіи въ католической церкви, доставить торжество католической церкви во всемъ мірѣ и восторжествовать самимъ надъ этимъ ортодоксальнымъ міромъ. Іезуитъ, рабъ своей Общины, сознавалъ, что его поддерживаютъ и защищаютъ тысячи собратій. Онъ зналъ, что за нимъ стоитъ цѣлая армія для того, чтобы ему помочь, спасти, чтобы работать вмѣстѣ съ нимъ ради одной и той же цѣли; и самый маленькій между ними могъ гордо воскликнуть: «имя мое—легіонъ!»

Одной изъ наиболѣе характерныхъ сторонъ дѣятельности іезуитовъ было преподаваніе. До тѣхъ поръ преподаваніе находилось въ рукахъ гуманистовъ, взгляды которыхъ принимали все болѣе и болѣе враждебный оттѣнокъ по отношенію къ церкви. Реформаторы XVI вѣка сознали все значеніе школы для будущности новыхъ поколѣній и они повсюду организовали такія школы съ рвеніемъ, давшимъ плодотворные результаты: школа стала однимъ изъ самыхъ страшныхъ ихъ оружій противъ католицизма. Основатели ордена іезуитовъ прекрасно поняли это положеніе вещей, и, понявъ его, съ свойственной имъ проницатель ностью, они немедленно употребили всю свою энергію на то, чтобы помочь дѣлу. Однако они вовсе не стремились организовать *народное* обученіе. По ихъ мнѣнію, весь народъ не нуждался въ образованіи, онъ долженъ былъ слѣпо слѣдовать по тому направленію, на которое его натолкнетъ прежде всего духовенство, а затѣмъ и высшіе правительственные круги свѣтскаго общества. Вотъ на эти послѣдніе и были обращены всѣ ихъ усилія. Іезуиты овладѣли умами аристократіи и крупной буржуазіи, которыя должны были служить имъ и помогать осуществить на дѣлѣ, въ случаѣ нужды, ихъ идеи и ихъ намѣренія въ политической и умственной жизни народовъ. Сверхъ того этимъ путемъ Общество узнавало тѣхъ людей, на которыхъ оно могла-бы впослѣдствіи особенно расчитывать и которые особенно преданы ему. Ради достиженія этой цѣли оно работало съ чрезвычайнымъ искусствомъ. Прежде всего оно пыталось развить въ желанномъ направленіи не только умъ, но и манеры своихъ учениковъ, чтобы они были настоящими свѣтскими людьми,—пріемъ тѣмъ болѣе цѣнный, что большинство другихъ профессоровъ ·были педантами, которымъ высшее общество не любило поручать своихъ дѣтей. Здоровье молодыхъ людей оберегалось съ большимъ вниманіемъ, занятія никогда не продолжались слишкомъ долго и ихъ прерывали часы отдыха; затѣмъ они относились очень заботливо, чтобъ не нарушать столь необходимаго для юности сна [1].

---

[1] *Constit.* IV, 4, 1.

Игнатій самъ выразилъ свои идеи о воспитаніи, когда къ этому представлялся случай, въ нѣкоторыхъ своихъ сочиненіяхъ [1]. Нельзя сказать, чтобъ онѣ отличались новизной взглядовъ, за исключеніемъ только установленія совершенной безплатности преподаванія, что, конечно, много способствовало успѣху іезуитскихъ школъ. Но въ самомъ преподаваніи Лойола слѣдуетъ рутинѣ своего времени. Главными предметами преподаванія, по его мнѣнію, являются древніе языки: латинскій, греческій и еврейскій; затѣмъ слѣдуютъ логика, философія и теологія, если число достаточно подготовленныхъ учениковъ позволяетъ заняться этими науками. Онъ предписываетъ соблюденіе точнѣйшей и строжайшей дисциплины и исключеніе всякаго упрямаго ученика. Для тѣлесныхъ наказаній долженъ приглашаться спеціальный «корректоръ» изъ лицъ, не состоявшихъ въ составѣ ордена. Онъ рекомендуетъ по возможности больше развивать въ ученикахъ внѣшнее благочестіе: ежедневныя мессы, проповѣди по воскресеніямъ и по всѣмъ праздничнымъ днямъ, ежемѣсячную исповѣдь. Общество всегда исполняло всѣ эти предписанія своего учителя. Единственная оригинальная идея въ программѣ занятій быть можетъ была слѣдующая: Лойола предписывалъ учителямъ не ограничиваться только даваніемъ уроковъ, а стараться пріучать воспитанниковъ къ сочиненіямъ на заданныя темы, къ диспутамъ и сообщеніямъ, «которыя, говоритъ онъ, быть мо-

---

[1] Genelli (фр. пер.), II, стр. 203 и слѣд.

жетъ полезнѣе, чѣмъ самое преподаваніе учителей». Въ этомъ онъ былъ совершенно правъ и нельзя не пожалѣть, что это мудрое правило до сихъ поръ еще такъ мало примѣняется въ нашемъ современномъ преподаваніи. Что же касается до древнихъ авторовъ, то Лойола приказалъ давать ихъ читать лишь въ изданіяхъ, гдѣ выпущно все, что можетъ портить воображеніе юношей.

Эта, хорошо обдуманная, система была хотя и не оригинальна, но все же довольно остроумна для своего времени, а потому немедленно стала пользоваться большимъ успѣхомъ. Пользуясь благосклонностью царствующихъ особъ, іезуиты могли обѣщать ученикамъ, посѣщавшимъ ихъ школы, полученіе важныхъ мѣстъ, и дѣйствительно исполняли это обѣщаніе, стараясь, въ интересахъ ордена, занимать всѣ крупныя должности своими прежними *схоластиками*—экстернами. «Тотъ, кто не воспитывалъ своихъ дѣтей у іезуитовъ, не считался добрымъ католикомъ, а тѣ, кто побывалъ въ ихъ коллегіяхъ, тѣмъ самымъ получали ключи для проникновенія всюду»,писалъ одинъ изъ противниковъ ордена, сорокъ лѣтъ послѣ его основанія [1].—Къ тому же образованіе, даваемое іезуитами, было совершенно безплатно и, принимая во вниманіе природу людей, даже самыхъ богатыхъ, понятно, что эта безплатность оказалась весьма полезной для іезуитскихъ школъ такъ какъ, что онѣ отъ этого не переставали считаться вполнѣ приличными.

---

[1] Ant. Arnoult. *Plaidoyer*, 16.

Педагогическая дѣятельность іезуитовъ не огра- ничивалась образованіемъ только знатныхъ мірянъ, но распространялась также и на духовенство. Го- судари весьма охотно поручали имъ воспитаніе молодыхъ священниковъ, потому что они пода- вали имъ, въ особенности въ первыя времена существованія ордена, примѣръ строгаго воздер- жанія и чистоты нравовъ. Вскорѣ они могли похвастаться своими громадными успѣхами на педагогическомъ поприщѣ. «Мы видимъ, гово- ритъ одинъ изъ ихъ древнѣйшихъ исторіогра- фовъ [1], кардинальскій пурпуръ на многихъ изъ тѣхъ, кто еще недавно сидѣлъ на скамьяхъ на- шихъ школъ. Другіе достигли управленія горо- дами и государствами. Мы воспитали епископовъ и ихъ совѣтниковъ; даже другія религіозныя общины наполнены бывшими нашими уче- никами». Вскорѣ нельзя было найти такого класса общества, такого политическаго или спеціальнаго интереса, въ которыхъ іезуиты не стали бы проч- ной ногой, благодаря своей преподавательской дѣятельности. Одной только этой стороной сво- его труда они уже овладѣли всемірнымъ могу- ществомъ.

Такимъ образомъ орденъ Іисуса двигался впе- редъ, двигался безостановочно, будучи поддер- живаемъ покровительствомъ всѣхъ папъ, за исклю- ченіемъ только Павла IV, враждебнаго къ испанцамъ вообще. Но за исключеніемъ только его одного, св. престолъ отлично понималъ во всѣ времена, какъ громадна была для него польза, приносимая

---

[1] Orlandino, lib. VI, cap. 70.

ему іезуитами; быть можетъ онъ не понималъ только одного, а именно, что съ теченіемъ времени сами папы необходимо сдѣлаются рабами этихъ опасныхъ своихъ служителей.

Въ 1549 г. Папа Павелъ III даровалъ генералу право освобождать всѣхъ членовъ общины отъ всѣхъ церковныхъ наказаній, за исключеніемъ лишь самыхъ крупныхъ случаевъ, предоставленныхъ юрисдикціи св. отца. Понятно громадное значеніе такого права для независимости и свободы развитія новаго общества, для котораго съ того времени уже былъ не страшенъ гнѣвъ никакого прелата, какъ бы высоко онъ ни стоялъ. Ордену не нужно было искать ничьего благорасположенія: онъ довлѣлъ самому себѣ. Такимъ образомъ Павелъ III развязалъ орденъ и каждаго изъ его членовъ отъ всякой зависимости, кромѣ зависимости отъ апостолическаго престола; но сверхъ того онъ даровалъ имъ высокую милость: право совершать богослуженіе и таинства даже во времена интердиктовъ, но только исключительно для себя. Всякій епископъ обязанъ посвятить въ священники того, кого генералъ іезуитовъ представить ему, какъ кандидата на эту должность. Эти священники ордена могли проповѣдывать, исповѣдывать, служить обѣдню, причащать всюду, гдѣ они находились, не нуждаясь для этого въ разрѣшеніи бѣлаго духовенства и даже мѣстнаго священника; и на оборотъ, ихъ нельзя было обязать, чтобы они наблюдали за монастырями или же засѣдали въ церковныхъ судахъ. Они освобождены отъ десятины или вс -

каго другого налога, хотя бы предписаннаго пап-
ской буллой. Никакой епископъ и никакое дру-
гое духовное лицо не имѣетъ права безпокоить
или препятствовать имъ создавать какое угодно
учрежденіе или опредѣлять мѣсто ихъ пребыванія.
Публика привлекается въ ихъ церкви совершенно
особыми способами: всякій, кто ходитъ къ нимъ
молиться въ извѣстные дни, получаетъ отпущеніе
грѣховъ за нѣсколько лѣтъ, а иногда даже и на
всю жизнь. Общество и всѣ его члены поруча-
ются особенному вниманію всѣмъ государей и
прелатовъ. Въ 1552 г. Юлій III даровалъ имъ
привилегію освобождать отъ постовъ и разрѣ-
шать запрещенную пищу, разрѣшать отъ всѣхъ
преступленій ереси и вообще проступковъ, про-
тивныхъ вѣрѣ; наконецъ, давать академическія
степени, даже внѣ ихъ собственныхъ универси-
тетовъ.

Такимъ образомъ, благодаря своему особенно
тѣсному союзу съ папами, іезуиты немедленно
заняли совершенно исключительное положеніе въ
церкви. Мы увидимъ, что они воспользовались
имъ для того, чтобы оказывать значительное влія-
ніе на тѣ большія собранія, которыя были приз-
ваны для окончательной реорганизаціи католи-
ческой церкви,—собранія, съ которыхъ начался
современный католицизмъ. Но прежде чѣмъ при-
ступить къ изученію ихъ исторіи, мы должны еще
прослѣдить тѣ жестокія репрессаліи, посред-
ствомъ которыхъ удалось вернуть церкви прочную
и непоколебимую почву на всемъ Югѣ Европы.

СОДЕРЖАНІЕ.